Titus n'aimait pas Bérénice

Du même auteur

Mère agitée, Seuil, 2002
C'est l'histoire d'une femme qui a un frère, Seuil, 2004
Les Manifestations, Seuil, 2005
Une ardeur insensée, Flammarion, 2009
Les filles ont grandi, Flammarion, 2010

Nathalie Azoulai

Titus n'aimait pas Bérénice

Roman

P.O.L
33, rue Saint-André-des-Arts, Paris 6e

Noël 2016

ISBN : 978-2-8180-3620-4
www.pol-editeur.com

Titus reginam Berenicen statim ab Urbe dimisit invitus invitam.

Aussitôt, Titus éloigna la reine Bérénice de Rome malgré lui et malgré elle.

Suétone, *Vie de Titus*

Titus mange goulûment. Il a une faim proportionnelle à l'énergie que lui demande ce moment. Bérénice ne touche pas à son plat. Elle reste immobile, le regard fixé sur son assiette. Puis elle pleure. Il la prend dans ses bras. Elle veut s'en aller, il la retient. Quel monstre suis-je ? dit Titus en essuyant une dernière fois les pleurs de celle qu'il a tant aimée, mais sa décision ne change pas. Titus aime Bérénice et la quitte.

Titus quitte Bérénice pour ne pas quitter Roma, son épouse légitime, la mère de ses enfants. Titus n'aime plus Roma depuis longtemps mais elle est courageuse, vaillante, compréhensive, alors pour ne rien changer, ne rien détruire, Titus s'avance vers Roma et dit, reprends-moi, et Roma, qui ne supporte pas qu'il abandonne ainsi le château de leurs années, le reprend.

Le soir où Titus la quitte, Bérénice ne peut plus se tenir debout. Sitôt rentrée, elle s'allonge. Mais même à l'horizontale, elle se sent encore très longue, très instable. Tout tourne autour d'elle et soudain son estomac se soulève. Mais elle ne parvient pas à vomir. Elle se recouche, et là sa nausée revient de plus loin encore, d'une zone du ventre plus enfouie, plus sourde, qui, d'habitude, ne se manifeste pas, ne gagne pas la surface. Elle ne sait pas encore que le fiel est l'autre nom de la bile mais comprend que les profondeurs du corps et de l'âme se logent au même endroit. L'abandon de Titus, c'est une tache noire sur sa peau. « Adam avant le péché était un diamant, et après le péché il est devenu un charbon », écrit Saint-Cyran, le complice de Cornélius Jansen.

On dit qu'il faut un an pour se remettre d'un chagrin d'amour. On dit aussi des tas d'autres choses dont la banalité finit par émousser la vérité.

C'est comme une maladie, c'est physiologique, il faut que l'organisme se reconstitue.

Un jour, tu ne te souviendras que des bons moments (la chose la plus absurde qu'elle ait entendue).

Tu en ressortiras plus forte.

Tu dis que tu n'aimeras plus jamais mais tu verras.

La vie reprend toujours ses droits.

Etc.

Ces phrases lui arrivent, la recouvrent, la bercent. Pour être tout à fait honnête, elle a besoin de ce babil de convalescence. Toutes ces langues qui font bruire autour d'elle l'empathie, l'universalisme et le pragmatisme lui sont un lit de feuilles où déposer son misérable corps. Et cependant, elle aspire parfois au silence complet, à un cercle de proches au centre duquel elle viendrait s'asseoir, pour qu'on la regarde et qu'on l'écoute sans un mot.

Et puis, un jour, au milieu d'une autre confession que la sienne ou en réponse à la sienne, elle entend, Dans l'Orient désert quel devint mon ennui !

La voix est grave, le regard vague, la poitrine mobilisée. C'est touchant et c'est pathétique. C'est singulier et c'est choral, cette voix en appelle une autre qui en appelle une autre, à l'infini. Elle sourit.

Ce soir-là, en rentrant chez elle, elle cherche toutes les pièces de Racine que sa bibliothèque contient. *Andromaque*, *Phèdre*, *Bérénice*. Il lui en manque, combien en a-t-il écrit ? Elle achètera les autres dans la foulée.

Elle trouve une façon de vivre, une routine sonore, une gestuelle. Elle se prépare une tasse de thé, elle lit à haute voix, pendant des heures. Elle ne sait pas spécialement dire des alexandrins mais elle s'applique. Elle escamote des syllabes, hésite sur des liaisons. À force, elle progresse, se satisfait de plus en plus du roulis qui se forme en elle et dans la pièce, l'emporte sans bouger. Quand sa voix se fatigue, elle se refait une tasse de thé chaud qu'elle boit à petites gorgées. Ensuite elle murmure les vers car elle a toujours besoin que ses lèvres claquent, bougent dessus, qu'il y ait un contact entre eux, l'air et la chair. Ses yeux ne lui suffisent pas, elle a besoin de les mâcher.

Le babil de sa convalescence se modifie. Entre les aphorismes se glissent désormais des vers de douze syllabes, appris au lycée ou non, des vers de la Comédie-Française, raides et vieillots, étrangers, tellement étrangers qu'ils lui donnent tantôt l'envie de faire le voyage et d'atteindre ce pays où les gens se parlent ainsi ; tantôt l'envie de se moquer, d'y plaquer dessus des rires gras, des intonations grossières qui les démantèlent, des syllabes familières, mal articulées, en tout point contraires, si tant est que le contraire d'une langue pareille existe.

Selon les jours, elle cite *Captive, toujours triste, importune à moi-même, Peut-on haïr sans cesse et punit-on toujours ?* ou *Tout m'afflige et me nuit et conspire à me nuire.* Ou encore, *Je demeurai longtemps errant dans Césarée.* Elle trouve toujours un vers qui épouse le contour de ses humeurs, la colère, la déréliction, la catatonie… Racine, c'est le supermarché du chagrin d'amour, lance-t-elle pour contrebalancer le sérieux que ses citations provoquent quand elle les jette dans la conversation.

Racine n'a écrit que douze pièces. En comparaison, Corneille en a écrit trente-trois, Molière une trentaine également. À cette époque, même les auteurs mineurs sont prolifiques. Ses deux dernières tragédies, Racine ne les a écrites que parce qu'on les lui a commandées, sinon il se serait arrêté à dix. Les questions commencent. Pourquoi a-t-il écrit si peu ? Qu'a-t-il fait du reste de ses années ? Rimbaud dit de lui qu'il est le pur, le fort, le grand.

Grâce à Racine, elle en arrive à se passer de confidents. De toute façon, y a-t-il vraiment quelqu'un pour recueillir ce filet d'eau tiède qu'est le chagrin quotidien ? Ses proches se sont usés. Elle-même autrefois, quand elle tenait lieu de confidente aux autres, ne pouvait s'empêcher de penser que le récit du chagrin est aussi ennuyeux que le récit de rêve, que rien ne vous concerne moins. Pourtant le format de la tragédie la frustre : vingt-quatre heures ne suffisent pas à jeter les personnages dans l'arène cuisante du manque. À l'exception d'*Andromaque*. « Racine prend son point de départ si près de son point d'arrivée, qu'un tout petit cercle contient l'action », dit Lanson. Elle visualise ce cercle minuscule, où tonnent effusions et imprécations, s'y sent chez elle mais elle a beau dire et redire les vers de toutes ces héroïnes malheureuses, elle ne s'en fait pas de vraies sœurs.

Un ami acteur lui confie que cette langue n'a rien à voir avec celle des autres auteurs classiques, qu'elle est unique, qu'il ne saurait expliquer pourquoi mais tous les acteurs le sentent, le savent. À cause de la musique ? Oui, mais pas uniquement.

Quand elle cite Racine, elle est soudain une amoureuse de France, qui connaît son répertoire, le déclame, récite les vers dans son lit le soir en pleurant, la nuit, le jour, dès l'aube, comme des milliers de femmes françaises pourraient le faire avec elle. C'est un chœur si puissant qu'il aspire même les vers des personnages masculins, ceux d'Antiochus, de Pyrrhus, d'Hippolyte, qui lui semblent toujours dits par et pour une femme. Le jour n'est pas plus pur que le fond de mon cœur.

Elle glisse des hémistiches dans ses textos, des noms de lieux pompeux pour ses rendez-vous, Césarée, Aulis, Trézène, qui laissent certains de ses interlocuteurs pantois quand d'autres, au contraire, poursuivent, déclament encore mieux, plus longtemps, des tirades entières où elle sent à la fois une fraternité et une distance. Alors elle se méfie, renifle l'excès de théâtre, la pose érudite, la vanité de qui veut passer pour être épris d'absolu quand il est juste capable d'en apprendre par cœur le code. Racine peut aussi susciter la fatuité.

Ou bien, elle pose des pièges. Peut-être vivrai-je si longtemps que je finirai par l'oublier. On lui demande où se trouve ce vers, on remarque que ce n'est pas un alexandrin, elle compte sur ses doigts, dit qu'elle cite mal, qu'elle a dû en oublier un morceau mais que si, bien sûr, c'en est un. En fait, c'est une citation d'Orson Welles à propos de Rita Hayworth qu'elle agglomère à son nouveau corpus. Au fil des jours, elle rassemble les bribes de la langue dans laquelle elle veut parler son chagrin, une langue parlée par d'autres avant elle et à laquelle elle veut joindre sa voix. Elle pourrait y glisser aussi du Duras, des phrases glacées sur des femmes blessées, emportées, d'autres lieux de tragédie, Hiroshima ou Calcutta, mais elle ne va pas jusque-là. Duras est une femme du XXe siècle, constante, cohérente, une sœur d'évidence. Duras ne l'aidera en rien.

Ce n'est pas une ardeur dans mes veines cachée : C'est Vénus tout entière à sa proie attachée. Des jours et des jours, elle tourne avec ces deux vers comme l'aigle au-dessus du champ. La proie finit par se confondre avec les deux vers, avec la possibilité même de les avoir conçus. Elle veut comprendre d'où viennent cette rage, ce désir brut. On lui répond des Grecs, des Latins, de l'époque, tout le monde écrivait comme ça. Elle dit, non, pas uniquement.

Ne va pas t'imaginer des choses sur lui ! La prévient-on quand elle se demande qui au fond était ce type qui a si bien su décrire l'amour des femmes. Rien, elle n'imagine rien, sinon qu'il avait tout pour vivre sans créer Bérénice mais qu'il l'a créée. Eh bien quoi, Bérénice ? Tu ne vas quand même pas te prendre pour elle ? Elle rougit, se contente d'avouer qu'elle voudrait se faire de Racine un frère de douleur, que ça l'aiderait. On sourit, on s'étonne. Elle y va de sa devise, tout ce qui peut apaiser le chagrin est bon à prendre. On est d'accord, on l'encourage.

Elle recense les adjectifs que lui rapportent ses premières recherches. Racine était janséniste, courtisan, poète tragique, académicien, historiographe, bourgeois, ambitieux, voluptueux, chrétien, disgracié.

Puis elle tente de résumer les intrigues de ses pièces : Phèdre aime Hippolyte qui aime Aricie. Oreste aime Hermione qui aime Pyrrhus qui aime Andromaque qui aime Hector. Néron aime Junie qui aime Britannicus. Roxane aime Bajazet qui aime Atalide. Il lui arrive de se tromper, de confondre les protagonistes ou d'hésiter. Antiochus aime Bérénice qui aime Titus qui aime… Elle finit par mettre le nom de Rome, avec dans sa main la sensation d'une fatalité obscure, qui tâte dans le noir, n'attrape rien, ne tient rien.

A ne peut jamais aimer B et en être aimé en retour. Cet acharnement contre la réciprocité la console certains jours comme s'il proclamait le contraire impossible, incompatible avec la nature humaine. Son malheur prend place dans un cortège millénaire quand son bonheur eût fait d'elle une exception, un monstre : Bérénice aime Titus qui aime Bérénice.

Allez, arrête, ne touche pas à Racine. On la met encore en garde avec gravité. Tu t'y casseras les dents. Tes pauvres petites mains n'empoigneront jamais ce marbre. Racine ne t'appartient pas, Racine, c'est la France. Mais elle veut y toucher, y mettre les mains justement. C'est un défi plein de dépit. C'est un pari. Si elle comprend comment ce bourgeois de province a pu écrire des vers aussi poignants sur l'amour des femmes, alors elle comprendra pourquoi Titus l'a quittée. C'est absurde, illogique, mais elle devine en Racine l'endroit où le masculin s'approche au plus près du féminin, rocher de Gibraltar entre les sexes. Mais cela, elle ne l'avoue pas. Officiellement, elle veut quitter son temps, son époque, construire un objet alternatif à son chagrin, sculpter une forme à travers son rideau de larmes.

Elle décide de commencer par le commencement. Arrêtons un moment, se dit-elle.

À vingt kilomètres du château de Versailles se trouve un vallon. Cent marches y creusent le sol jusqu'en son point le plus bas, l'abbaye de Port-Royal. Sur les contreforts, autrefois, une grange, une ferme, quelques boules de buis, un verger, des arbres immenses. Au plus grand faste français de tous les temps, le vallon oppose son calme, son dénuement, un sentiment de réclusion aussi salutaire que celui d'un refuge. Elle émet une hypothèse : toute la vie de Racine se tient dans l'écartèlement que provoquent en lui ces deux lieux.

Les bâtiments sont vides. Les moniales ont déserté l'abbaye pour s'installer à Paris. À cause de l'humidité, de l'insalubrité. De temps en temps, il s'échappe de l'école. Il dévale les marches, descend dans le vallon. Il arpente le cloître, va jusqu'à la Solitude, un cercle de bancs niché sous les arbres où il imagine des scènes, des conversations. Parfois son esprit entrevoit les jeunes filles en train de crier, jacasser, rire à gorge déployée en croyant échapper à la surveillance de leur supérieure. Mais Dieu ne voit-il pas tout ? Quand il vient y réciter une petite ode qu'il a composée en latin, les arbres deviennent des hommes. On le regarde et on l'admire. Les feuilles comme des mains battent pour le féliciter. Les larmes lui montent aux yeux. Mais la cloche retentit. Il court vers le cloître, colle son dos à une colonne fraîche, calme sa panique.

Quand il remonte, il lui semble de nouveau qu'elles sont en bas, dans son dos, que leurs robes effleurent les pierres, que leurs prières bourdonnent au loin. Parfois il redescend à toute vitesse et constate un silence parfait. Il commence par être déçu puis ferme les yeux, écoute le silence comme on respire un air pur, esquisse un sourire.

Sa mère est morte quand il était très jeune, deux ans à peine. Son père, peu après. D'eux, il ne se rappelle rien. Il se souvient plutôt des nombreuses femmes de La Ferté, ce giron qui l'accueillait, le soignait, versait de temps à autre un souffle chaud sur sa joue. Parmi elles, sa jeune tante, qui lui demandait parfois de s'approcher, de poser sa tête sur son épaule. Il sentait alors ses cheveux doux se mêler aux siens, les vibrations de sa voix former comme un halo, un nid de sons dans lequel il pouvait se glisser sans avoir à parler puisqu'elle était là, capable de dire tout ce dont il avait besoin, tout ce qu'il voulait, jusqu'à ce jour où elle s'est penchée d'un air désolé. Elle est restée sans voix mais il a lu sur ses lèvres qu'elle s'en allait, qu'elle le quittait. Elle l'a serré un peu plus fort que les autres fois, s'est redressée puis s'est éloignée. Dans la pénombre, il croit avoir vu ses lèvres reprendre leurs mouvements muets et former les deux syllabes presque jumelles du mot « tris-tesse », mais aussi bien elle a pu vouloir dire autre chose. Il le lui demandera quand il la reverra car, comme d'autres membres de la famille avant elle, sa grand-mère, ses cousins, elle l'a quitté pour venir ici, à Port-Royal des Champs. Comme lui quelques années plus tard parce que l'éducation des jeunes messieurs y est réputée si excellente.

Il a été déçu d'apprendre qu'elle n'était pas là lorsqu'il est arrivé, qu'avec les autres moniales on l'avait envoyée à Paris, le temps d'assécher les cellules. Mais elle reviendra et ils se retrouveront au milieu du vallon, leur nouvelle maison. Il pourrait presque dire qu'il passe toutes ses journées à l'attendre mais il n'éprouve ni douleur ni impatience depuis qu'il a découvert la grammaire.

Les hommes ont appelé noms propres ceux qui conviennent aux idées singulières, comme le nom de Socrate, qui convient à un certain philosophe appelé Socrate ; le nom de Paris, qui convient à la ville de Paris. Et ils ont appelé noms généraux ou appellatifs ceux qui signifient les idées communes ; comme le nom d'homme, qui convient à tous les hommes en général ; et de même du nom de lion, chien, cheval, dit Lancelot.

Jean écoute la leçon comme une explication du monde, simple et tranquille. Il note tout. Il aime sentir le respect absolu que les règles éveillent en lui. Les règles séparent, ordonnent et nomment. La voix du maître est si douce, si bienveillante. La grammaire coule sur lui comme un serment d'affection, plus doux et plus nourrissant que tous les sermons.

Jean a dix ans. C'est son premier automne à l'abbaye de Port-Royal des Champs. Il regarde longuement la terre brune reluire au milieu des bandes de verdure. Il n'a jamais vu les labours de si près. La terre reluit tant qu'elle en devient presque rouge. Le rouge et le vert s'allient à merveille. Un peintre devrait peindre cela, pense-t-il, lui qui ne connaît de la peinture que les quelques portraits sévères qui ornent la galerie du réfectoire. Quelqu'un devrait juger important de rendre cette alliance de couleurs qui raconte le dynamisme organique de la terre, les semis, les repousses, la vie des hommes dans la nature. Hamon lui apprend que le sang a parfois ce même aspect gras, qu'il change de couleur selon l'endroit où on va le chercher dans le corps.

Si j'étais peintre, ose dire Jean, je peindrais ce contraste, je peindrais la terre en rouge.

Le sang est rouge, les labours marron, répond Hamon, on ne change pas la perception générale que Dieu a donnée aux hommes, c'est source de désordre.

Jean acquiesce. C'est dommage, pense-t-il. S'il était peintre, il prendrait le risque de peindre les labours rouge sang.

Hamon a plus de trente ans. Il est médecin mais en attendant que la charge se libère, il officie dans le jardin de l'abbaye. Il s'appelle Jean aussi mais aucun des deux ne prénomme l'autre. La bienséance exige de remplacer le nom propre par un nom général, « monsieur ». Jean aimerait qu'il en soit autrement, s'adresser à lui en prononçant son propre prénom, lui parler comme à un reflet, se voir, se comprendre en lui, établir ce dialogue en miroir. Jean, pourquoi? Jean, écoutez-moi... Au milieu des questions et des divergences, ce serait chaque fois le signe d'un accord, d'une harmonie.

Dès qu'il le peut, il retrouve Hamon à genoux dans la terre et s'agenouille près de lui. Il sait qu'il ne devrait pas, que cette attitude est réservée à la prière, qu'il pourrait se contenter de s'accroupir sans salir ses bas et sa culotte mais le soir, quand il se change, il aime retrouver, dans le pli qui se forme entre les deux, quelques grains de terre brune encore humide. Dans la chambrée, le maître le réprimande parfois et lui demande de ramasser. Jean se remet à genoux sur la pierre froide et recueille doucement les grains de terre séchée. Il les dépose discrètement dans une petite coupe sous son lit en songeant qu'un jour elle sera suffisamment pleine pour y faire pousser quelque chose.

Ensuite, il s'allonge. Dans l'obscurité, les couleurs lui reviennent, grasses, luisantes, le rouge et le vert déposés l'un près de l'autre, apposés. Jean songe que la plupart des choses qui ont du sens s'affirment et se lient de cette façon. À côté et ensemble. Il aimerait parler avec la même densité, poser ses mots comme on pose ses couleurs, avant tout mélange. Car les mots sont pareils à la terre, ils sèchent quand ils sont trop remués, perdent en sens et en force, ont besoin de toujours plus de mots entre eux pour signifier. Il se demande ce que seraient des mots frais puis, las de tant de confusion, enfouit cette question dans un coin de son esprit et s'endort.

Les journées se ressemblent toutes mais cette routine lui plaît. Le lever sonne à cinq heures dans la chambrée. Jean et les six autres émergent de rêves qui se verrouillent aux premières lueurs de l'aube, des rondes de femmes, des bras doux, la chaleur d'un foyer, la grosse voix de Dieu qui tonne ou les flammes de l'enfer. Mais les garçons se prosternent, sans hésiter. Certains somnolent encore. Puis on se relève, on se peigne, on s'habille pour réviser la leçon de la veille. Chaque élève passe à son tour et en restitue une partie. À la fin, le maître rassemble leurs morceaux et reconstitue la leçon dans son entier. Il tient à ce que chacun mesure son apport et sa valeur, que l'effort individuel nourrisse l'œuvre commune.

À sept heures, on récite la nouvelle leçon à la table du maître puis on déjeune dans la chambre, en silence.

On se regarde, on boit, on mâche lentement, on se détend avant d'attaquer le gros morceau, la version latine de neuf heures. Le maître choisit souvent Ovide et Virgile, des auteurs qui ne connaissaient pas Dieu. L'esprit de Jean a d'emblée été frappé par les images de Virgile, inattendues, simples, aussi modestes que saisissantes. L'un des garçons a dit une fois qu'il le trouvait indécent. Le maître a répondu qu'avant le Christ, beaucoup d'auteurs étaient indécents, ce qui ne les empêchait pas d'être grands. Dans la foulée, il a dit *pallida morte futura*. Jean éprouve un sentiment particulier, comme devant le rouge et le vert. Le français montre ses articulations comme un chien ses dents, exhibe un squelette aux os noueux tandis que le latin dissimule ses jointures. Et dans ces ellipses, le sens pousse, afflue comme des odeurs s'exhalent de la terre humide.

Pâle à cause de la mort qui s'approche, dit un élève.

Non, dit le maître.

Pâle d'une mort prochaine, propose Jean.

Mais cela ne veut rien dire ! On n'est pas pâle de quelque chose !

C'est vrai mais la traduction de Jean me paraît pourtant plus juste.

On le fusille du regard mais il est déjà lancé sur la traduction d'après, accélère, mène la classe.

Après la version, les enfants sont fatigués. Jean a mal à la tête, un peu de nausée. Le maître a beau savoir que ce sont des enfants, il déteste voir leurs regards vagabonder, glisser d'un objet à l'autre, se détacher de leur pensée.

Une dernière chose, tonne-t-il, remarquez le datif, pourquoi le datif à cet endroit ?

Tandis que plus personne n'a la force de lui répondre, Jean cherche quelque chose. Le maître est infatigable, il pourrait traduire pendant des heures. Jean lui apporte la réponse qu'il veut entendre. Le maître se détend.

Très bien, Jean, le cours est fini.

Le déjeuner a lieu dans le réfectoire. Chaque chambrée avance en silence. Les petits cortèges suivent le maître jusqu'à leur table, s'assoient après lui. On s'adresse quelques regards, on se repose en écoutant distraitement le chant des versets. Bercées, les pensées enfin se desserrent, se dilatent jusqu'à l'heure de la récréation. Ce repos dessine des sourires niais sur quelques visages qui agacent Jean. Il voudrait filer mais il doit brider son impatience, ne pas montrer cette bougeotte qui saisit ses jambes, les presse d'aller retrouver le médecin-jardinier.

Les deux genoux dans la terre, Jean et Hamon parlent sans se regarder. À quelques centimètres l'un de l'autre, Jean se dit que s'il perdait l'équilibre, il tomberait flanc à flanc contre le médecin, qu'il pourrait mettre plusieurs secondes à se redresser, que, malgré leurs attitudes parallèles, au fond, ils se rejoignent, se croisent en un point décisif.

Ils évoquent des choses invisibles et avérées, comme la circulation du sang. Jean aime ce décalage, cette façon d'être à deux choses en même temps, ou plutôt de dissocier les choses et les mots, celles qu'on voit et celles qu'on dit. Les mains dans la terre brune, les yeux rivés aux racines, aux feuilles, à l'herbe verte, tout en ayant l'esprit absorbé par un rouge profond.

À l'écart des autres, ils confectionnent un nid de mots secret. Quand quelqu'un s'approche, le médecin se tait. Il n'a pas le droit de dire tout ce qu'il dit. Jean est fasciné. Quand il s'étonne de la puissante organisation des choses que lui décrit Hamon, il réussit même à s'exclamer sans élever la voix. C'est le genre de contradiction qui s'apprend ici, l'enthousiasme et la discipline, une contradiction toute relative puisque la foi parvient toujours à modérer l'étonnement :

Il n'y a aucune raison de vous étonner puisque tant de perfection a pour cause unique la volonté de Dieu, dit Hamon.

Son savoir est immense. Devant lui, Jean a le sentiment que son propre corps devient corps de verre, sans opacité, sans secrets. Cette transparence le trouble, lui donne envie de multiplier ses couches de vêtements, mais quoi qu'il fasse, Hamon saura toujours ce qui se trame sous sa peau. Jean se rassure en songeant qu'il a une âme et qu'elle le recouvre comme un rideau épais. Mettre mon âme en Dieu, se dit-il, est le manteau le plus noble dont je puis disposer.

Dans le jardin, il y a peu de fleurs, beaucoup de buis et surtout des arbres immenses.

Ailleurs des forêts de chênes sont abattues pour alimenter la construction des bateaux de l'arsenal royal, dit Hamon. Prions pour que le roi ne vienne pas dénuder notre jardin.

Il connaît toutes les espèces, nomme les charmes, les ormes, les trembles. Il détaille ce qui les distingue, explique les propriétés, les étymologies. Jean pourrait l'écouter des heures. L'orme a la même racine que l'aulne, dit-il, ou, c'est en bois de hêtre qu'on a fait la traverse de la croix du Christ. Le tremble tient son nom de ses feuilles qui tremblent au moindre souffle de vent.

Et c'est tout ? s'étonne Jean.

Oui, l'arbre est moins remarquable que le nom qu'il porte.

Tant mieux, pense Jean, rassuré à l'idée que les noms puissent être plus grands que les choses.

Quand il traverse le parc tout seul, il regarde les arbres comme des vigies silencieuses, une forêt de bras graciles auprès desquels se blottir, se réfugier quand le soleil ou la pluie tape trop fort. Il y chuchote aussi parfois les mots qu'il écrit en cachette à sa tante jusqu'à ce que l'un des maîtres lui ordonne de rejoindre le groupe. Les noms des arbres lui deviennent si familiers qu'il les transforme en noms propres, comme ceux de camarades, y compris pendant la leçon de grammaire.

Tremble penche sous le vent du nord, dit-il.

Non ! Que vous preniez le tremble, l'orme ou le hêtre, ce sont des noms communs, tranche le maître. Et le français exige que le nom commun soit toujours introduit par un article.

Soit, admet Jean, mais il ne tient qu'à moi de l'enlever et d'appeler un chien Monastère ou Carrosse.

Certainement pas ! Il y a d'autres noms pour cela, tonne le maître.

Malgré l'agacement de ce dernier, d'autres observations saugrenues viennent à Jean constamment. Quand la leçon porte sur l'usage du singulier et du pluriel, Jean parvient à se taire mais imagine des usages tiers, des pluriels invraisemblables qui voilent un instant son regard. Et sans qu'il ait besoin de dire un mot, le maître le rappelle à l'ordre :

La grammaire a des usages auxquels vous devez strictement vous conformer.

Certainement, monsieur, répond Jean qui aime se sentir corseté, éprouver dans sa chair et dans sa bouche la puissance des liens imposés.

Il n'empêche. Le corset cède un peu plus encore quand commence la leçon de poésie. Poumons droits et ouverts, Jean récite, déclame comme on respire. Devant lui, l'espace s'élargit, l'air devient plus piquant, plus boisé. Le maître n'ose pas dire que les récitations de Jean sont différentes des autres mais quand il l'écoute, il est comme happé par un vent de coton.

Un matin, Lancelot a parlé de disséquer les textes. Il n'ajoute pas « comme des corps » mais, bien sûr, c'est ce que Jean entend.

Les autres collèges ne trouvent guère que ce soit important mais si vous êtes ici, c'est aussi pour cela. Écrire, récrire, dis-sé-quer.

Jean, ce jour-là, se précipite aux côtés du médecin et dépose le mot à ses pieds.

Dites-moi, monsieur.

Et celui-ci de répondre que la dissection est une procédure bénéfique mais qu'il trouve un peu étrange qu'on enseigne tant de poésie à de petits messieurs qu'on devrait exclusivement élever dans l'amour de Dieu et de la charité.

Certains poèmes nous sont tout de même interdits, ajoute Jean.

C'est heureux. S'ils vous sont interdits, répond Hamon, c'est pour votre bien. En lisant les livres des hommes, nous nous remplissons insensiblement de leurs vices.

Vous m'enseignez bien des choses illicites, ose Jean.

Jamais rien qui puisse entamer la grandeur de Dieu.

Il n'y a vraiment que lorsqu'il déclame qu'au tournant de certains vers se soulève un grand vent, un souffle qui pourrait le précipiter bien au-delà du parc, dans un autre ciel que celui de Dieu. Il s'accroche, se cramponne aux mots, à la mélodie. Et de nouveau, il rentre dans le rang, redevient un élève parmi les autres. Jamais très longtemps cependant car il est le seul à oser demander au maître le titre des livres qu'on leur interdit.

Le chant IV de l'*Énéide* ne sied pas à des enfants chrétiens, dit Lancelot.

Il me semble pourtant que nous en avons étudié un passage l'autre jour, s'étonne Jean.

C'est vrai car il y a dans ce chant quelques illustrations tout à fait exemplaires du génie latin, comme vous l'avez vu. Mais ça n'arrivera plus. D'ailleurs, vous me rendrez tous les volumes dès demain matin.

Dans la nuit qui suit, Jean ne trouve pas le sommeil. La chambrée tout entière mouline ses souffles tranquilles. Le sien est plus saccadé. Sans faire de bruit, il allume sa bougie et attrape le volume proscrit. Il l'aurait ouvert plus tôt s'il avait su. Ses mains tremblent. Il s'attend à des choses terribles mais rien, à part la plainte de la reine Didon qui s'écoule comme un miel épais. Ses yeux s'y laissent prendre comme des insectes, ne saisissent rien. Déçu, il referme le livre, éteint sa bougie, caresse vaguement l'idée qu'il a débusqué une sorte de monstre au pied de son lit.

Hamon lui offre un recueil des *Vies parallèles* de Plutarque. Ce cadeau vient sceller leur complicité. Au début, Jean lit en tournant les pages sans oser pincer vraiment le papier entre ses doigts, puis finit par s'y sentir comme chez lui, en droit d'y porter ses mains mais aussi ses propres mots. De sa grosse écriture d'écolier, il n'a pas peur d'apposer dans les marges de ce texte non chrétien ses commentaires dévots « Grâce », « Providence de Dieu », « Il n'y a point d'homme parfait », selon le principe que, de toute écriture, ce qui compte, c'est la lecture qu'on en fait. Jour après jour, il ouvre un peu plus le texte, le fouille, détache les phrases comme s'il les pelait. Ses pages deviennent aussi légendées que des planches d'anatomie. Il en est si fier qu'un après-midi, il emporte son livre dans le jardin, le montre à Hamon.

Chacun se fait ses propres cicatrices, dit celui-ci.

Jean se décontenance : alors qu'il attend de lui des phrases simples et claires, Hamon lui décoche parfois des devises si sibyllines. Pourtant les jours suivants, plus il annote Plutarque, plus il lui semble comprendre : que fait-il d'autre que découdre et recoudre des pans de texte ? Si la lecture est une dissection, alors le commentaire ne peut être qu'une cicatrice.

Deux semaines plus tard, un matin, des hordes de jeunes gens jettent des pierres aux écoliers du vallon en les accusant de soutenir le roi de France envers et contre tout. Débordés de toutes parts, les maîtres n'arrivent pas à s'interposer. C'est la première fois que Jean éprouve une telle rage dans ses jambes, ses bras. Si tous les gestes qu'il a faits jusque-là dans sa vie étaient parfois fébriles ou tendus, jamais il n'en a commis de si larges, animés d'une telle force. Il a eu peur mais il n'a pas détesté sentir cette force.

Au bout de quelques heures, les jeunes frondeurs repartent. Jean est blessé au front. Ce n'est pas son âme qui souffre à cet instant mais son corps. Malgré sa douleur, il se réjouit de constater que l'âme et le corps sont capables de briser la rigoureuse superposition dans laquelle on les maintient mais il assiste à ce corps qui soudain dépasse sans savoir quoi faire ni penser. Hamon nettoie sa plaie. Sa main est douce au-dessus des yeux de Jean. De sa voix tranquille, il commente ses soins, les solutions qu'il utilise. Il répète que chaque corps se fait ses propres cicatrices. Comme devant un choix de pierres précieuses, Jean se plaît à imaginer la sienne petite et nacrée.

Ai-je raison ? demande-t-il.

C'est trop tôt pour le dire, répond Hamon, mais quel que soit son aspect, elle restera le signe de votre fidélité au roi de France.

À ces mots, son corps s'effarouche et se rétracte. Il n'y a pas les cicatrices du corps d'un côté et de l'autre celles de l'âme, se dit-il. Toute cicatrice du corps est cicatrice de l'âme. Puisqu'il aime tellement le roi, puisque le roi est Dieu sur terre et qu'il compte servir sa gloire d'une manière ou d'une autre, alors sa cicatrice reluira comme une bonne étoile sur son front, autour de laquelle les événements futurs dessineront un diadème. Indifférent à la douleur présente, il sourit. Mais pourquoi certains des jeunes gens dans la bagarre huaient-ils le nom de Hamon ? Ne disaient-ils pas qu'il était des leurs, qu'il ne défendait pas le roi ? Quelqu'un a même crié que l'archevêque avait envoyé des gardes pour le surveiller.

Et vous, quel est le signe de votre fidélité ? Pourquoi dit-on que vous lui êtes infidèle ? risque Jean.

Hamon se contente de lui sourire et l'invite à ne plus parler. La peau de son visage doit se détendre, son front devenir entièrement lisse.

Le lendemain, Jean ne résiste pas à l'envie de fixer son reflet au carreau d'une fenêtre. Il commence par cacher sa blessure sous une mèche de cheveux mais il aime la symétrie qui se forme entre la pointe de son nez et la marque sur son front. Tandis qu'il repousse la mèche, un maître le surprend, blâme son oisiveté, sa coquetterie. Jean rougit, serre les mâchoires sur l'idée qu'il se trouve beau en espérant la broyer entre ses dents.

Une nouvelle méthode latine paraît. Les règles y sont exclusivement formulées en octosyllabes et en français. C'est une révolution qu'on s'efforce de trouver naturelle. Quand il s'endort, entrelacés aux souffles de la chambrée, Jean entend désormais les vers de huit syllabes qui s'ordonnent et se déposent en lui. Cette régularité l'enchante et le berce. Son monde soudain s'emplit de musique. De cette révolution, il gardera longtemps le souvenir d'une langue qui, du jour au lendemain, s'est mise à chanter dans la nuit. Les maîtres constatent des progrès fulgurants. Cette méthode est une providence.

Est-ce à dire que toute langue est musique? demande Jean un matin dans la chambrée.

Vous n'êtes pas là pour apprendre à chanter, cingle le maître.

D'autres questions fusent. Incidemment, un élève demande pourquoi on ne leur donne jamais de thème latin.

À quoi nous servirait de remplacer une langue vivante par une langue morte?

Jean trouve l'expression cruelle. Comment une langue peut-elle mourir ? Il aimerait quitter instantanément la leçon pour aller demander son avis à Hamon, lui seul connaît la différence entre la vie et la mort, mais il ne bouge pas. Il tempère sa frayeur, ne constate aucun trouble chez les autres enfants, espère que les mots comme les âmes sont capables d'immortalité.

Ce qui compte, reprend le maître, c'est de faire voyager les anciens jusqu'à nous, de profiter de ce qu'ils ont à nous apporter, de les connaître de l'intérieur et de fouiller leurs textes comme de la matière. C'est ainsi qu'on apprend à modeler la nôtre. À présent, revenons sur cet exemple bien connu : *Ibant obscuri sola sub nocte per umbram.*

Jean réfléchit puis, d'une voix claire, propose :

Ils avançaient seuls dans la nuit sombre.

Non, ce n'est pas juste, Virgile ne dit pas exactement cela.

Jean relit une fois, deux fois, à haute voix puis dix fois pour lui-même. Il voit des ombres qui se déplacent, des silhouettes qui se coulent dans la nuit.

Le maître dit :

Ils avançaient, à travers l'ombre, obscurs dans la nuit solitaire.

Jean n'arrive pas à se figurer cette nuit solitaire. Il devine une grande ombre qui absorberait toute la solitude des hommes, mais l'idée reste brouillée, incertaine. Puis, pour reposer son esprit, il compte le nombre de mots, il y en a onze quand le latin se suffit de sept. Pourquoi le français est-il toujours obligé d'en rajouter? On doit pouvoir faire aussi compact, aussi dense. Il tente à nouveau :

Ils allaient obscurs dans la nuit seule.

C'est parfait, pense-t-il en constatant que sa phrase compte exactement sept mots bien qu'il ne soit pas très sûr de la comprendre, qu'il y ait ce flottement entre les adjectifs. Il la répète en silence, ne s'en lasse pas. C'est une phrase coriace, limpide comme un diamant, pas comme une eau claire.

Le maître réfléchit, hoche la tête, sourit.

C'est fidèle, dit-il.

Mais ça ne veut strictement rien dire, proteste un autre élève. Qu'est-ce qu'une « nuit seule » ?

Jean n'essaie ni de lui expliquer ni de le convaincre. Il comprend que pour en arriver là, il a dû lui-même renoncer à un segment de compréhension, s'en remettre seulement à l'harmonie des blocs, des syllabes. La traduction est à trop de conditions, se dit-il, comme les géomètres qui s'imposent de devoir faire passer un cercle par quatre points donnés au hasard et qui ne parviennent à le faire passer que par trois, tout en approchant le quatrième au plus près. Pourtant, il se promet d'honorer un jour les quatre points obligés.

Un vent de découragement balaie la pièce si bien qu'à la fin de la séance, Jean se contente de glisser à l'oreille de Lancelot qu'une langue vraiment morte ne leur causerait ni tant de mal ni tant de dissensions.

C'est tout le contraire, c'est parce que le français est vivant qu'il dépose au pied du latin toutes ces possibilités. Ne l'oubliez jamais. Prenez au latin ce que bon vous semble, ne soyez jamais pétrifié, puisez, servez-vous.

Cette idée réjouit Jean. Il aime que les langues se parlent en sous-main, qu'elles tissent des dialogues impalpables, invisibles à l'œil qui ne les traduit pas. Qu'on ne distingue plus les affluents du fleuve principal. Plus que tout, il aime ce vent d'irrévérence que le maître fait souffler dans la classe.

Un matin, on annonce que les moniales sont enfin revenues aux Champs. Après le déjeuner, Jean dévale les cent marches. Il est d'abord ébloui par tous ces manteaux de drap blanc qui grattent les pierres du sol et des murs. Les étoffes plissées se confondent avec les colonnes du cloître. Ce pourrait être un mirage, mais heureusement, il discerne des croix écarlates brodées sur les scapulaires blancs. Il ne rêve pas, elles sont là.

Il n'aperçoit pas sa tante. Comment pourrait-il la reconnaître ? C'est elle qui, quelques heures plus tard, demande à le voir. Dans le silence du parloir, il s'avance d'un pas fébrile mais quand il comprend que plus jamais il ne sentira la douceur de leurs deux chevelures mélangées, il se raidit. Sa voix pourtant n'a pas changé. Elle l'interroge avec précision sur ses apprentissages, demande des détails, l'exhorte au respect absolu envers ses maîtres. Il aimerait que, dans ce flot ininterrompu, la voix soudain vienne à lui manquer, s'efface au profit de syllabes muettes sur ses lèvres, mais, comme ses cheveux, sa tendresse reste enfouie. Il renonce à lui demander ce qu'autrefois elle a grimacé en le quittant.

Il fait valoir sa cicatrice, raconte comment il s'est battu au nom du roi de France. Elle répond que les rois passent mais que Dieu reste. Tout lui donne raison mais Jean aime l'idée qu'un enfant d'un an son aîné dirige un vaste royaume. Sa tante répond que c'est une image fantasque, que le roi n'a de roi que le nom sans se douter de l'effet que les noms ont sur Jean. Si elle pose sur lui un regard bienveillant, c'est un regard sans bras ni mains pour le toucher et, pour Jean, c'est un clou qu'on enfonce dans son cœur.

Jamais les moniales ne montent, jamais les élèves ne descendent. Ce sont deux mondes séparés, des frères et des sœurs qui ne grandissent plus ensemble. Un soir, Jean se demande si on peut encore parler de filles et de garçons pour désigner les habitants du vallon. Les mots ne sont-ils pas inappropriés ? Le maître hésite, répond qu'ils sont avant tout les enfants de Dieu.

Au sujet des religieuses, Jean entend pourtant des choses terribles. Hamon lui dit, par exemple, qu'elles versent leur sang comme le Christ, un sang qui se voit, notamment le jeudi soir dans la cérémonie du sanglant regret, ou lors des saignées auxquelles elles se soumettent sans arrêt. Mais surtout, un sang de vierge, qui s'écoule en secret tous les mois. Jean est choqué d'entendre une chose pareille. Il voudrait que le médecin s'en tienne là, qu'il n'ajoute plus rien.

La gloire des filles de Port-Royal, ces vierges sages, vient du sang du Christ, poursuit-il.

Je ne comprends pas, dit Jean.

Dieu les a dotées par cette saignée spontanée d'une compréhension supérieure à la nôtre. Elles savent chaque mois ce que signifie perdre son sang. Pas nous.

Jean est stupéfait. Lui qui les regardait comme des êtres fragiles les considère d'un tout autre œil à présent. Le lien qui les rattache à Dieu est d'une puissance qu'aucune prière ni aucun savoir n'égaleront. Et chaque fois qu'il apercevra danser au loin leurs croix écarlates, ce sera comme de renifler ce torrent de sang. Il chasse de son esprit la silhouette de sa tante, l'ampute définitivement de ses jambes, ne retient que son visage. Dans la nuit qui suit, Jean rêve que Hamon s'avance vers lui, une lancette à la main. Il fouille son bras, palpe sa veine, la perce en souriant puis éclate de rire en voyant que le sang de Jean est aussi blanc que du lait.

La veille de ses quatorze ans, on décide d'envoyer Jean au collège de Beauvais, à trente kilomètres de là. On lui explique que c'est le vœu de sa famille qui se soucie de lui donner le meilleur. Mais pour Jean, le meilleur est à l'abbaye. La mort dans l'âme, il s'exécute, soupçonne qu'on le punit pour les audaces qu'il manifeste en classe et en dehors. Il a moins de peine à quitter sa tante que Hamon, constate que les êtres et les étreintes se remplacent.

À Beauvais, les bâtiments sont moins humides et les chambrées plus vastes, mais tout lui manque : ses maîtres, ses arbres, la silhouette de Hamon, les scapulaires rouges au loin. Pour se consoler, Jean s'immerge dans Virgile comme jamais. La discipline étant moins stricte, il n'a qu'à dire qu'il travaille son latin pour qu'on le laisse tranquille. On ne cherche même pas à savoir à quels textes il s'adonne.

Il lit presque exclusivement le chant IV. La proscription tend un voile entre le texte et lui, mais jour après jour ses yeux s'habituent à lire à travers.

Caeco carpitur igni.

La reine Didon se consume d'un feu aveugle. Ce n'est pas le feu qui est aveugle mais ceux qui devraient le voir et qui ne le voient pas. Pour traduire *caeco*, Jean hésite entre secret et caché. Virgile adore revoir les attributions, déplacer les qualités.

Caeco carpitur igni. Quoi qu'il fasse, où qu'il soit, les trois mots lui reviennent. Il les voit comme gravés dans la pierre, les prononce dans les longs couloirs, en se couchant, le matin au réveil.

Caeco carpitur igni. Pourquoi le sang de la reine coule-t-il comme une lave ?

De ses réflexions il ne parle à personne, mais il traduit encore et encore, sans cesse, parfois jusque tard dans la nuit. À force, il dompte le courant, atteint le lit du texte. Il y trouve un battement, une pulsation, celle d'un chagrin, d'une impossible consolation. Jean a le sentiment d'entrer dans un pays où les guerres, les batailles, la construction des ports ne sont rien à côté d'une femme qui pleure. Et soudain cette tristesse lui paraît aussi fondamentale que la naissance ou la mort.

Caeco carpitur igni. Chaque fois qu'il fait claquer la phrase dans sa bouche, il admire la souplesse du latin. Si seulement le français donnait aux mots la même liberté ; si seulement il pouvait les doter de désinences invisibles, cachées. Mais le français est si plat, se désespère Jean. Il s'amuse à chambouler l'ordre de toutes les phrases jusqu'aux sermons de la messe. Si le prêtre dit « nous devons à Dieu », Jean rectifie aussitôt « à Dieu nous devons » et vice versa. Dans ses remaniements, parfois il décroche, perd le fil, se sent entraîné dans des phrases sans queue ni tête, mais où il sent souffler un vent nomade, nouveau et qui le grise. *À Dieu nous devons de disperser à nos vœux contraires des pensées.* Il pose alors ses deux mains sur le rebord du banc devant lui, calme son vertige et retrouve le fil du sermon. *Nous devons à Dieu de disperser des pensées contraires à nos vœux.* Mais la minute d'après, il recommence. Dans cette gymnastique étrange, les mots s'exercent comme des muscles et assouplissent leurs résistances.

Un jour, après une messe particulièrement longue, il sort non seulement épuisé mais surtout effrayé à l'idée que son esprit puisse être dérangé, atteint d'un syndrome particulier qui l'empêche d'adhérer à une syntaxe claire et logique. Il se dépêche de l'écrire à Hamon qui lui répond qu'une telle maladie n'existe pas et qui l'invite à pratiquer moins de latin pendant quelque temps. Jean lui renvoie une deuxième lettre où, en plus de le remercier, il lui demande des précisions physiologiques sur le mal de Didon. *Caeco carpitur igni.* Est-ce possible selon vous ? demande-t-il. A quelle température peut s'élever le sang d'une femme ? Le médecin lui répond que le sang du Christ comme celui des femmes n'a rien à voir avec le feu, que d'y songer en soi est un blasphème.

Il est à Beauvais sans y être, se lie peu, ne pense qu'au chant de Didon et au retour à l'abbaye qu'on lui promet. Ses condisciples le regardent comme un prisonnier impatient de retrouver sa prison. Ils incriminent la discipline exagérément sévère, la foi intraitable, les persécutions, mais Jean n'essaie pas de les convaincre, ils ne savent pas de quoi il parle. Du chant, en revanche, il ne dit absolument rien. Jour après jour, se précise un tracé qui mord sur une paroi à coup de visions cinglantes et crues, des lits vides et immenses, des vêtements trempés de larmes. Jean s'enferme dans les volutes de sa traduction, reformule sans cesse, change un mot, un adjectif, comme pour refroidir le texte mais immanquablement la même ardeur insiste, trépigne au fond des phrases de Virgile.

Caeco carpitur igni.

Parfois il répète à haute voix un segment de phrase avant de l'entendre vraiment, notamment les expressions courantes, qu'il dépouille pour revenir à une valeur enfouie sous l'usagc. Comme lorsque Virgile écrit de Didon : *resistitque in media voce...* Jean commence par noter ce qui vient couramment, « elle s'interrompt » puis « reste sans voix », mais ça ne va pas. Il finit par écrire, « et s'arrête au milieu de sa parole ». C'est étrange mais c'est ainsi que Virgile l'a conçu : Didon s'arrête de parler parce qu'elle s'empêtre dans la boue de ses propres mots.

Cette nuit-là, quand il s'endort, Jean croit entendre la voix rauque et chargée de la reine, se demande à quoi ressemblent celles des moniales quand elles prient. Si bien qu'au matin, pendant le cours de latin, tandis que le maître leur dicte un passage de Sénèque, il laisse venir sous sa plume une autre phrase de Virgile. Il relève la tête, regarde les autres s'appliquer, se dépêche d'en noter la traduction, mais il n'a pas vu le maître, penché au-dessus de son épaule.

Peut-on savoir pourquoi vous traduisez autre chose que ce que je demande ?

Je…

Répondez à ma question.

Tous les regards se tournent vers lui. Jean sent le bas de son dos se durcir. Il rature les mots de Virgile, les siens, et présente au professeur un visage rouge de honte. Celui-ci le toise et lui arrache sa feuille. Jean le regarde remonter rageusement l'allée avec le papier roulé en boule dans sa main. Mais il se souvient de ses derniers mots comme s'il les avait encore devant les yeux. *La plaie qui l'a percée siffle dans sa poitrine.* Le vers n'exige aucun effort de mémoire tant il est souple, plus fluide que tout ce qu'il a déjà traduit, impossible à oublier. Il se le répète encore et encore. *La plaie qui l'a percée siffle dans sa poitrine. La plaie qui l'a percée siffle dans sa poitrine.* Sur la pente de l'élégie, Jean vient de faire pour la première fois une foulée de douze pas. Il se demande si l'alexandrin garantit l'excellence. Il n'en sait rien, mais tous les jours qui suivent, il réitère l'expérience et conclut qu'à défaut de chiffrer la beauté, on peut chiffrer la musique.

Deux ans plus tard, Jean revient à l'abbaye. Il a seize ans passés. C'est un retour en fanfare car il reçoit alors l'enseignement conjoint des trois maîtres les plus renommés de France : Antoine Le Maître, Claude Lancelot, Pierre Nicole. Ce sont aussi les plus solitaires d'entre les solitaires. On a d'ailleurs construit des ermitages dans le parc pour qu'ils ne se mélangent pas. Sa tante loge à présent dans les nouvelles cellules du monastère car, malgré les persécutions, les moniales sont de plus en plus nombreuses. Ainsi tout son monde se repeuple-t-il autour de lui. À l'exception de Hamon qui est devenu le médecin officiel de l'abbaye et ne s'occupe plus du parc. Jean ne pourra plus le regarder jardiner, ni s'entretenir avec lui des merveilles de la nature. Il lui faudra toujours des prétextes ou des maladies pour le retrouver, l'arracher aux religieuses qui demandent des soins constants à cause de l'humidité, de la frugalité, du dénuement. Jamais Jean n'en avait pris la mesure comme à son retour. Il ne sait si le phénomène s'est amplifié ou si c'est parce qu'à Beauvais, il a eu l'habitude de vivre dans plus de confort.

Hamon est le seul homme autorisé à franchir la clôture. Jean l'envie. Et, comme lorsqu'il était petit, il reprend l'habitude de s'échapper, de dévaler les marches et de se nicher dans un coin pour observer. Il peut attendre de longues minutes avant qu'une silhouette blanche déambule dans le cloître ou bien, au contraire, ne plus savoir où donner de la tête. Elles marchent, s'arrêtent, échangent des paroles, regardent le ciel, d'autres arrivent, se joignent au groupe, s'en séparent. Il capte des gestes, des embrassades, plus rarement quelques rires. On dit qu'elles sont près d'une centaine à présent. Il se demande si, comme Didon, il leur arrive de pleurer sur une chose qu'elles ont perdue, leur vie d'avant, leur famille, il n'ose pas leur imaginer d'autres pertes. Mais elles ne sont pas comme Didon puisqu'elles ont Dieu. Dieu réduit toutes les tristesses, comme une terre spongieuse capable d'absorber tous les torrents de larmes. Pauvre Didon qui n'eût jamais été si triste en Dieu.

De quel mal souffre la reine Didon ? demande-t-il un jour à sa tante.

Je n'en sais strictement rien, répond-elle sans hésiter.

Il la croit et comprend dès lors qu'il est traversé de questions inconnues d'elle. Il réitère sa demande auprès de Hamon.

De quel mal souffre la reine Didon ?

D'un mal dont vous ne voulez rien savoir et qui n'existe plus depuis que le Seigneur s'est révélé.

Le médecin lui raconte alors une histoire survenue en son absence, celle de la petite Marguerite, affectée d'un mal tenace, une noisette dure et malodorante au coin de l'œil, qui lui provoquait des douleurs, de la fièvre, et que la médecine ne guérissait pas.

On a fait venir une sainte épine, détachée de la couronne du Christ. Les chirurgiens l'ont placée sur le canal lacrymal. En quelques heures à peine, le mal et les douleurs ont disparu. Nous avons attendu huit jours avant de nous en laisser convaincre mais nous n'avons jamais crié au triomphe. Nous aurions pu puisque la petite n'est autre que la nièce du grand Pascal.

Jean glisse qu'à Beauvais, il n'en a même pas entendu parler.

Le roi s'en serait offusqué, poursuit Hamon, mais les certificats ont tout de même circulé.

Quels certificats ?

Ceux qui attestent l'intervention divine.

Quelle main les a signés ? demande Jean.

Celle de Dieu.

Votre main n'y est pour rien ?

Je vous dis que c'est la main de Dieu.

Jean est ébahi. Il y a donc des papiers qui certifient l'existence et la toute-puissance de Dieu. Une plume les a couchées sur un vélin. Dieu existe. Dieu fait des miracles. Dieu surpasse la science et détient tous les savoirs. Dieu surpasse le roi de France. Et qui plus est, Dieu écrit. Tour à tour, Jean s'exalte et se pétrifie. Au hasard des mouvements de sa plume sur ses cahiers, il sent la pointe se durcir et transpercer le papier comme une épine une peau trop fine.

Plus Hamon lui parle des miracles de Dieu, plus la rumeur enfle à son sujet. Il ne peut plus franchir la clôture qu'accompagné d'une tourière et il arrive de plus en plus souvent à Jean d'apercevoir des gardes dans le parc. On a peur qu'il ne fomente des actions contre le roi. Quand Jean s'inquiète trop à son sujet, il demande à voir sa tante. Comme toujours, dans la pénombre du parloir, il trouve son visage parfaitement rond, telle une lune pleine nichée dans l'amour de Dieu. On nous envie nos grands esprits, lui dit-elle un jour. L'hostilité contre nous est terrible, mesurez votre chance, remerciez Dieu d'être là, ça ne durera peut-être pas…

Ce jour-là, Jean lui en veut d'avoir accru son inquiétude. Lui a-t-il déplu ou fait honte ? Qui voudrait donc autant de mal à l'abbaye ? Quand il remonte vers les Granges, il a le sentiment de devoir marcher contre le chagrin, de sentir autour de ses chevilles, de ses mollets, des cercles grimpants et épineux, des frondaisons de malheur. Il peut bien avoir envie de lire ce qu'on lui défend, cet endroit, c'est sa famille, son cœur, son enclos. Il maudit les sombres prophéties de sa tante, l'odeur de sa peau quand elle plaque son visage contre la grille, acide, piquante comme la mie d'un mauvais pain.

Heureusement, un nouveau livre entre dans sa vie qui le distrait de ses peurs. C'est l'*Institution oratoire* de Quintilien. Il ouvre les volumes que Le Maître lui a prêtés avec prudence et gratitude. Il s'émeut à l'idée de tourner les mêmes pages, de caresser le même papier, l'empreinte du regard qui s'y est posé avant le sien, tous les regards avant le sien. Un juge doit savoir manier les preuves et le raisonnement mais il doit aussi apprendre à émouvoir l'auditoire.

Chaque conseil que donne Quintilien est une manière de pénétrer l'esprit humain, de débusquer dans ses plis les arrière-pensées, les intentions secondes, les mobiles cachés. Il ne s'y attendait pas. Outre l'éloquence, le droit va lui apprendre à déchiffrer l'âme.

Avant de se retirer aux Champs, Le Maître était un glorieux avocat. On dit qu'il a pour Jean de grandes ambitions, qu'il veut en faire le futur défenseur de Port-Royal, mais aussi qu'il l'aime comme son fils. Il enseigne aux enfants toutes les figures, tous les effets, s'anime, les entraîne avec fougue, ne compte pas ses heures. Il a un penchant particulier pour le syllogisme. Il prononce les trois propositions en cascade, d'une façon grandiloquente et ludique à la fois. Les élèves s'en entichent, l'imitent, organisent des concours jusque tard dans la nuit. Mais Jean préfère une autre des figures chéries par le maître, l'hypotypose.

L'image des choses est si bien représentée par la parole, explique celui-ci, que l'auditeur croit plutôt la voir que l'entendre. Or l'œil a tout pouvoir sur notre âme.

De tous les exemples qu'il donne, Jean retient la robe ensanglantée de César, « toute dégouttante de son sang », insiste le maître, un linge humide et rouge qui, plus que n'importe quel exorde, excite le désir de vengeance de la foule romaine.

Jean ferme les yeux pour mieux écouter et se laisse embarquer dans une atmosphère étrange, entre chien et loup, dans un moment qui n'est ni le jour ni la nuit, ni le sommeil ni la veille, une sorte d'hallucination tranquille et conviviale pendant laquelle les esprits s'échauffent et brûlent comme des torches. Une nuit noire où reluisent des drames et des carnages, des rougeoiements de braises plus vifs que de larges tableaux. Une voix calme s'élève alors qui raconte la stupeur, rythme le scandale, la cruauté des hommes entre eux. Jean est souvent obligé de crocheter ses pouces dans son dos pour ne pas applaudir tant la voix du maître est belle et forte. Alors dès qu'il est seul, il l'imite. Les mots deviennent de la matière qu'on pourrait toucher, attraper, remodeler. Si la langue se forme dans l'esprit, se dit-il, elle ne doit pas s'y confiner, elle doit sortir, se projeter dans l'espace, vibrer dans l'air.

Le maître explique un jour que Quintilien considère les tragédies indispensables à la formation de l'orateur. Jean s'étonne puisqu'à l'abbaye, on déteste si fort le théâtre. Le maître se trouble un instant avant de répliquer qu'il y a bien entendu une raison à cela : Quintilien ne se sert des auteurs que pour les critiquer, déplorer leur manière de s'abandonner à leur talent plutôt que de le maîtriser.

Écoutez donc ce vers d'Ovide. *Servare potui, perdere an possim rogas*.

Un élève traduit :

Celui qui peut conserver peut perdre ; or je t'ai pu conserver ; donc je te pourrai perdre.

Jean se retient de rire tant la traduction est mauvaise.

Oui, c'est cela, mais vous ne rendez pas toute la concision, dit Le Maître.

J'ai pu te conserver, je te pourrai donc perdre, propose Jean.

Il en manque un morceau, proteste l'élève.

Non, tout y est, adjuge le maître. C'est de la poésie et c'est d'une logique implacable. C'est parce qu'il y a la logique que la poésie est belle.

L'élève cherche des soutiens autour de lui, mais personne n'ose tenir tête au maître.

D'où est extrait ce vers ? demande Jean.

De la seule tragédie qu'Ovide ait écrite.

Nous est-il permis de la lire ?

Non, dit le maître, c'est une tragédie perdue dont il ne reste qu'un seul vers.

Tout laisse Jean perplexe : l'exemple choisi par le maître, que l'œuvre d'un si grand poète puisse se perdre, et qu'il puisse n'en rester qu'un seul vers. Il consigne son étonnement dans le grand cahier où, depuis qu'il a une chambre individuelle, il a pris l'habitude de noter ce qui lui vient pendant la journée. En marge de ses commentaires réguliers, il en écrit d'autres, plus décousus, plus intempestifs, qui, surpris par des yeux étrangers, paraîtraient aussi impudiques que des draps défaits. Des remarques qui laissent le droit en chemin, des passages de Quintilien, mais aussi de Tacite, Virgile, Plutarque, qu'il annote comme s'ils étaient chrétiens, en invoquant Dieu, la grâce, sans souci d'adéquation. On lui a appris à disséquer alors il dissèque, mais plus que des sentences, ce sont des phrases qui déclenchent d'autres phrases, presque à son insu.

D'une page à l'autre, il change de langue, passe du grec au latin, sans même s'en rendre compte.

Désormais il connaît aussi l'espagnol et l'italien grâce à Lancelot. Il est le seul à maîtriser cinq langues. Avec toutes ces langues vivantes en lui, il repousse les frontières, crée une géographie nouvelle, démesurée, à sa guise. À côté de ses condisciples, son thorax s'ouvre plus large et plus fier, riche de tous les sons qu'il accueille, module, de tous les échos qu'il renvoie. Quand il récite ou déclame, il sent le soulèvement de ses côtes, sa cage thoracique qui monte et descend, vibre sous les enchères d'une tour de Babel qui s'érige en lui sans cacophonie. Souvent, lors des après-dînées, réunis autour de grandes cartes, les élèves font courir des bâtons de bois sur les montagnes, les océans. Si Jean se joint à eux parfois, il préfère ouvrir ses cahiers, y voyager sans escorte, conduire seul cette arche où s'invitent les plus grands auteurs.

Un matin, sans prévenir, on leur distribue de nouvelles plumes. Elles sont grises et métalliques. Le maître passe entre les tables et explique :

Elles sont un peu moins souples que les pennes mais elles vous permettront d'écrire plus longtemps, plus abondamment.

Les élèves se regardent sans oser les utiliser, à l'exception de Jean qui écrit comme on plonge. Sa plume accroche la surface du papier mais sa main dompte les rugosités, exerce une emprise de plus en plus forte. Jean a déjà noirci plus d'une demi-page quand les autres se décident enfin à commencer. Muni de son étrave de fer, il se sent capable de fendre les eaux les plus dures.

On organise des concours de récitation pour encourager et exercer les mémoires. Malgré ses facilités, Jean ne fait pas partie des meilleurs. Il visualise parfois sa mémoire comme une éponge incapable de rendre autant qu'elle a absorbé.

Un matin, il prétexte un violent mal de gorge pour aller se confier à Hamon.

Vous n'avez rien de méchant, conclut le médecin en l'examinant.

En fait, je voulais vous dire…

Me dire ?

Ma mémoire, comment pourrais-je encore l'étendre ?

Apprenez, apprenez, gorgez-vous de textes, exercez-la comme un muscle.

Est-ce ce que vous avez fait vous-même ?

Oui. J'ai lu, j'ai appris, beaucoup entendu. Vous n'imaginez pas toutes les histoires qu'un médecin recueille.

Pourquoi vouloir vous les rappeler ?

Parce que toutes me prouvent que le Seigneur répand ses bénédictions et les dons de sa grâce sur les gens de rien.

En sortant de la salle de soins, Jean éprouve une sensation grisante. La nature ne dote pas les hommes de chances égales. Il y a des parties de son corps qui se hissent au-dessus des autres et qui font les grands hommes. Sa mémoire peut devenir un attribut conquérant, triomphant. Si le sexe est une chose dont on ne parle pas, la mémoire, elle, ne souffre d'aucun interdit. Il rejoint sa chambre d'un pas léger, exalté. Sa mémoire va devenir son empire.

Cette émulation joueuse contrevient parfois à l'esprit de sérieux des maîtres, mais ils laissent faire les enfants. Jean ne boude pas son plaisir parce qu'il constate ses progrès jour après jour et qu'indéniablement il commence à faire partie des meilleurs.

Lancelot vient de composer une méthode de grec qui utilise de nouveaux auteurs comme Sophocle et Euripide. On dit qu'il est le seul à avoir une connaissance directe de leurs œuvres. On dit aussi que ces œuvres sont dangereuses parce qu'elles exposent les travers des hommes et leur orgueil démesuré, dans une langue composite, capable de la plus grande noblesse et de la plus grande trivialité. Jetés dans le désespoir, ses personnages évoquent leurs poumons, leur corps, leur sang. Encore plus crûment que chez Virgile on dirait, car ce sont des paroles directes qu'ils s'adressent sur une scène de théâtre. Chaque fois, le maître tempère de sa voix calme et sérieuse, dit que ce sont des images, des figures, mais Jean devine dessous des chairs tremblantes, des souffles chauds, des liquides impétueux.

Il fait comme d'habitude : il apprend, il récite, de plus en plus long, de plus en plus vite, se met à remporter toutes les joutes organisées pendant les classes et en dehors. Mais au bout de quelques semaines, les petits concours le lassent. La voix et la diction des autres le gênent, encombrent le tête-à-tête dans lequel il a envie d'entendre ces nouveaux textes. Il délaisse même son meilleur adversaire, Thomas, pour s'enfoncer seul dans le bois. Il marche autour de l'étang ou s'assoit sur la rive. Il lit, relit, module différemment. Les phrases sont simples, sans galanterie, mais elles tonnent, font gronder des orages dans sa tête, des ciels zébrés par la violence des hommes et des dieux. Sans parler de la rage des femmes. Pour Jean qui ne connaît d'elles que leur teint blanc, leurs douces bénédictions et leur corps enfoui sous la serge, Électre, Antigone ou Jocaste semblent plus violentes encore que la reine Didon. Elles lui font changer de climat, de latitude et d'espèce. Dans ce nouveau monde, même les arbres pourraient se mettre à hurler.

Son ami Thomas le débusque parfois dans ses cachettes.

Regardez, c'est un livre défendu, lance-t-il.

Adossé contre un chêne, Jean sursaute. Ses yeux n'ont pas le temps de se relever jusqu'au visage de Thomas qu'ils avisent une reliure brune entre ses mains.

Montrez-moi.

Il s'empare du livre, feuillette et commence à lire à haute voix :

« Dès qu'ils s'aperçurent, les deux jeunes gens s'aimèrent, comme si leur âme, à leur première rencontre, avait reconnu son semblable et s'était élancée chacune vers ce qui méritait de lui appartenir. »

Arrêtez ! Pas si fort ! proteste Thomas.

Jean continue.

« Et leurs yeux se fixèrent longuement de l'un sur l'autre, comme s'ils cherchaient dans leur mémoire s'ils se connaissaient déjà ou s'ils s'étaient déjà vus. »

Les deux adolescents se défient du regard. Jean sent que sa gorge s'est un peu rétrécie mais il poursuit :

« Et, tout de suite, ils eurent comme honte de ce qui venait de se passer et ils rougirent, mais bientôt, tandis que la passion, apparemment, pénétrait à longs flots dans leur cœur, ils pâlirent, bref en quelques instants, leur visage à tous deux présenta mille aspects différents, et ces changements de couleur et d'expression trahissaient l'agitation de leur âme. »

C'est impie, dit Thomas, rentrons.

La passion rend leurs visages blancs, on dirait des arbres foudroyés.

Les arbres foudroyés sont noirs.

Ils sont blancs avant d'être noirs.

Je ne crois pas.

C'est en tout cas comme ça que moi, je les vois, insiste Jean.

Sur le chemin du retour, ils ne s'adressent pas la parole. Une nouvelle pensée tonne dans l'esprit de Jean : les créatures de Dieu se battent, s'entre-tuent pour des villes et des royaumes, mais elles peuvent également s'attirer violemment comme les roches de Magnésie.

Arrivés près des bâtiments, Thomas s'enquiert :

Vous avez honte, n'est-ce pas ?

Oui, répond Jean pour le rassurer.

Deux jours plus tard, Lancelot découvre le roman défendu dans les affaires de Jean. Un roman ! Un roman ! s'écrie-t-il dans les couloirs. Jean le trouve ridicule mais ne proteste pas. On le lui confisque, on le sermonne publiquement et on décide que le livre d'Héliodore périra dans les flammes. Tous les garçons sont conviés à regarder.

Les joues de Jean sont brûlantes. Il sent sa cicatrice chauffée à blanc, comme un morceau de métal, prête à fondre au milieu de son front, son visage sur le point de couler. Thomas est exactement en face de lui. Les reflets des flammes dansent sur ses joues larges. Jean cueille dans ce camaïeu orangé une douceur apaisante. Il ne lira plus rien d'interdit, se conformera strictement aux règles de l'abbaye, comme Thomas. Il mènera désormais une existence calme et docile, dévouée au seul amour de Dieu. Plus question de braver qui ou quoi que ce soit. Mais le soir même, avant de se coucher, il est pris de terribles vomissements.

Jean parle au-dessus du récipient que Hamon a disposé sur ses draps. Sa voix faible résonne contre les parois d'émail.

Si je suis ici, c'est la preuve que les agitations de l'âme et du corps coïncident.

Certainement, votre péché de lecture vous aura affecté au plus haut point.

De la même façon que l'amour entre les personnages du roman.

Ce roman est inepte.

Vous ne croyez pas que le visage d'une femme puisse rougir ou pâlir à cause de l'amour ?

Bien sûr, s'il s'agit de l'amour de Dieu.

Croyez-vous que le visage de ma tante puisse soudain devenir rouge comme une fleur ?

Si sa prière est fervente, le sang lui montera aux joues.

Vous ne pensez pas que deux créatures de Dieu puissent s'aimer avec ferveur ?

Cette ferveur est un leurre. Seul l'amour de Dieu mérite le nom d'amour. Vos créatures ne peuvent s'aimer qu'en Dieu.

Épuisé, Jean finit par fermer les yeux. Un moment encore, il perçoit les mouvements de Hamon dans la pièce, le bruit des instruments qu'il manipule tandis que les phrases d'Héliodore s'éteignent peu à peu. Dieu lui donnera certainement la force de les oublier.

Huit jours plus tard, non seulement il s'en souvient encore, mais il se met à consigner un nouveau type de notes dans ses cahiers. Des phrases qui ne cherchent ni à comprendre ni à raisonner mais qui décrivent des paysages, des ciels changeants, des soleils tantôt radieux, tantôt voilés. Mais il n'a pas l'audace d'Héliodore, il n'ose évoquer ni les visages ni les corps. Il s'en tient aux variations du temps qu'il fait.

De fil en aiguille, Jean se découvre une envie de raconter qui n'a plus rien à voir avec l'hypotypose parce qu'elle ne concerne ni des batailles ni des meurtres mais le vallon fleuri, les fruits du verger, le jardin, les oiseaux, l'étang.

À trop vanter les merveilles de la nature, on finit par y prendre du plaisir, l'avertit Lancelot.

Jean insiste donc sur le silence, le recueillement, la piété des lieux, mais ses maîtres critiquent encore ses compositions. Ils se réunissent, délibèrent et rendent leur verdict : le problème ne concerne pas ce qu'il chante mais comment il le chante. En d'autres termes, mieux vaut tout simplement éviter la poésie. Et pour mieux l'en convaincre, Lancelot n'hésite pas à le blesser :

La poésie n'est point votre talent.

Jean est orgueilleux mais il sait masquer son dépit.

Il ne s'agit pas de poésie mais de peinture, monsieur.

Ne jouez pas sur les mots.

Je ne joue pas. Ce qui me plaît, c'est l'observation.

Il ne croit pas si bien dire. À quelques jours de là, dans le parc, il aperçoit un enfant assis, un grand livre ouvert sur les genoux. C'est un nouveau venu, plus beau que les autres, qu'il a cru apercevoir dans les coursives du château de Vaumurier où il loge désormais. Jean s'approche, avise des gravures sur les pages du livre.

Je suis le marquis d'Albert, dit l'inconnu. Connaissez-vous le tableau dont on parle partout depuis 1642 ?

Certainement pas.

C'est celui d'un peintre hollandais dont on dit qu'il sait peindre la nuit comme personne.

Jean se penche et regarde. Il hoche la tête devant le foisonnement d'effets. Les personnages se frayent un chemin de lumière, ils avancent, rament, pagaient dans la nuit. Mais les yeux fixés sur la gravure, il ne pense déjà plus à ce qu'il voit. Dehors, dans d'autres contrées, se dit-il, des hommes sont donc en train de créer, d'écrire, de peindre librement.

Vous feriez mieux de renoncer à ce livre si vous ne voulez pas d'ennuis, dit-il.

Je peux faire venir tous les livres que je veux, se vante l'enfant. Et vous verrez, je n'aurai pas d'ennuis.

Jean hésite puis lui commande un nouvel exemplaire du roman d'Héliodore. Sa voix a le grain du scrupule, mais s'il en est là, après tout, c'est à cause des contradictions qui animent ses maîtres : pourquoi lui interdit-on ce qu'on lui enseigne ?

Les jours suivants, chaque matin, il fait le trajet qui sépare le château des Petites écoles avec le nouveau qui lui raconte le faste et les alliances de sa famille, la manière dont il a entendu parler de lui : un élève brillant, un esprit singulier, éminemment doué. La flatterie a raison de sa méfiance. Jean finit par le convier secrètement une fois, deux fois, puis tous les soirs dans sa chambre pour lui faire part de ses lectures et de ses traductions. Il s'exprime en aîné et en petit-maître, l'informe des effets et des ruses à connaître pour traduire au mieux, au plus près.

Mais vous ne traduisez jamais entièrement, dit le marquis.

Si, tout y est.

J'ai parfois du mal à vous suivre.

C'est exprès, sourit Jean.

Entre les deux garçons s'installe une sorte de marchandage tacite entre le savoir de l'un et la noblesse de l'autre, mais, si les sept ans qui les séparent suffisent à expliquer la supériorité de Jean, celle du marquis ne doit rien au temps. Et l'enfant le sait qui boit les paroles de Jean sans jamais se départir de cet air satisfait, de cette certitude que la naissance attire le génie.

Le petit marquis lui procure un deuxième exemplaire du roman grec qu'il garde au fond d'une cachette mais qu'il consulte chaque fois qu'il a un moment, dont il apprend des pages par cœur, dans le texte ou en français, dans les traductions existantes, dans celles qu'il corrige, récrit, invente. Pour les deux héros, se voir et s'aimer ne font qu'un. Peut-on aimer passionnément quelqu'un qu'on voit alors que Dieu ne se montre à personne ? se demande Jean constamment. Entre ses réflexions et ses questions, il prend un plaisir fou à suivre les aventures des personnages, à se prendre pour eux. Gardez votre hauteur, votre sens critique, ne vous laissez jamais abuser par le drame et la narration, lui répètent pourtant ses maîtres, mais Jean se laisse abuser parce qu'il a seize ans, mais surtout parce qu'il lui semble que ces péripéties sont fondées sur des sentiments véridiques dont personne ne veut lui parler. Tant et si bien que dix jours plus tard, après une séance où sa voix a plusieurs fois vacillé sous le scrupule, Lancelot l'interpelle durement. À la rougeur qui le saisit, le maître lui ordonne la confession immédiate.

Dans le confessionnal, Jean raconte son plaisir de lecteur et son péché d'orgueil. Il avoue que le récit l'a séduit, que l'interdiction des maîtres n'a fait que renforcer son entêtement. Mais il ne dit pas l'essentiel, la possibilité d'un autre type d'amour. Le confesseur l'absout.

Le sentiment de légèreté qu'il éprouve en sortant se dissipe aussitôt quand, revenu dans sa chambre, il constate que ses affaires ont été fouillées de nouveau. Le deuxième exemplaire du roman finit comme le premier, dans les flammes.

L'orgueil de Jean passe à l'état de dépit. Et aussitôt la punition terminée, d'un clin d'œil, il fait signe à son nouvel ami de lui en commander un troisième exemplaire. Mais il ne se laissera plus surprendre ; il ira lui-même porter au maître l'objet délictueux.

Quand ? demande le marquis.

Quand je le connaîtrai entièrement par cœur.

Le petit marquis le fait réciter des soirs durant des pages entières. Quand Jean flanche, il le pique, le tance, le défie. Il s'amuse de ses erreurs, de ses oublis, mais rien n'offense Jean qui suit son cap, coûte que coûte. Quand c'est chose faite, il dit tout simplement :

J'irai me dénoncer demain matin.

Vous êtes sûr ?

Nous n'avons quand même pas fait tout ça pour rien.

La réponse de Jean scelle une amitié qui lui représente très clairement la différence entre le dedans et le dehors, eux et les autres, la transparence et le secret.

De part et d'autre du troisième bûcher, le maître et l'élève se défient. Mais Jean ne baisse pas les yeux. Au-delà du visage de Lancelot, il avise un avenir où aucune confession, aucune absolution, ne sera plus jamais capable de l'étreindre corps et âme.

Et ce soir-là, c'est Hamon qui vient le trouver dans sa chambre, étonné de ne pas l'avoir vu paraître dans la salle de soins après l'épreuve subie.

Vous êtes sûr que vous vous sentez bien ? demande-t-il.

Parfaitement bien.

La confession vous aura apaisé ?

Non.

Je ne comprends pas.

Laissez-moi, je suis fatigué, dit Jean.

Le médecin n'insiste pas et tourne déjà les talons quand Jean l'interpelle :

Dieu a formé toutes les créatures, n'est-ce pas ?

Oui.

C'est lui qui a nous a doté de nos organes et de nos viscères.

Bien sûr.

Alors pourquoi ne pouvons-nous jamais rien écrire là-dessus ?

Nous le faisons dans nos manuels de médecine.

Mais nous n'aurions pas le droit de le faire en dehors ?

Ce serait inconvenant.

Virgile et Eschyle le font sans arrêt.

Eschyle et Virgile ne sont pas des auteurs chrétiens, comme vous savez.

Mais ce sont de grands auteurs, n'est-ce pas ?

Certainement.

J'écrirai comme eux, en latin ou en grec.

Ce n'est pas ce que l'on attend de vous. Vos maîtres prescrivent le français envers et contre tout.

Une fois encore, mes maîtres m'enseignent ce qu'ensuite ils m'interdisent. Cette fois, laissez-moi, je suis très fatigué.

Le médecin hésite. Un élan d'affection soulève son regard sans parvenir jusqu'à ses bras.

On lui a appris à ne pas se fier aux statuts que donne le monde, mais le seul nom de marquis a émis à son oreille un bourdonnement durable. Dans ce bourdonnement, il perçoit des festivités de château, des attelages de cour et le tintement des fortunes. C'est vague, c'est lointain, mais contrairement à tout ce qu'il entend, c'est le bruit du temps présent. Jean est orphelin, et sa seule véritable maison, c'est ici. Des amis de la famille, des cousins subviendront à ses besoins, mais qui l'ancrera suffisamment s'il veut s'établir hors de ce désert? S'établir, grandir. Jean veut pousser comme l'un des arbres du parc. Il veut être droit, glorieux, et atteindre le ciel sans se priver de racines profondément enfouies dans la terre du royaume de France. Il pourrait conquérir des charges d'avocat ou de commis, mais aucune d'elles ne fera jamais de lui autre chose qu'un bourgeois.

Du roi, il ne connaît que la fidélité dont sa cicatrice est la marque, mais les récits du petit marquis commencent à hisser devant ses yeux de nouveaux étendards.

Mon père dit que lorsque l'on est en présence du roi, on devient lumineux soi-même.

Ou bien :

Mon père dit que lorsque le roi porte les yeux sur vous, c'est le soleil qui vous éclaire.

Ou encore :

Il n'est pas de plus beau spectacle que de voir le roi descendre dans la cour du Louvre pour assortir ses attelages de carrosse.

Les premières fois, Jean se contente d'observer que le roi n'a qu'un an de plus que lui puis cesse de le dire. C'est si plat à côté des phrases du marquis qui sonnent comme des oracles où Dieu ne fait plus tonner son courroux ni ses ordres de pénitence. Parfois, même, les deux garçons miment des courbettes en cascade, des grimaces et des révérences exagérées qui les font rire. Dans la chambre de Jean, ils s'amusent de rimes galantes en latin ou en français selon leur humeur. La plupart du temps, c'est Jean qui déclame devant le marquis qui l'applaudit en sautillant sur place. Tout y passe : le chien Rabotin qui garde la cour, l'hiver, les petits oiseaux qui survolent le jardin. Tout en continuant à recevoir les enseignements de ses trois maîtres et à les respecter, Jean découvre l'écume du monde, les rires qui blanchissent à la commissure des lèvres, la mousse légère que les mots peuvent créer autour des choses.

Au moment de s'endormir, il regrette parfois l'état d'agitation dans lequel ses jeux avec le marquis l'ont mis puis il pense au grand Pascal dont on dit qu'il a eu son heure de galanterie, n'en déplaise à Lancelot. La vie des hommes peut tourner comme le vent. Il n'y a qu'à le voir lui, changeant au fil des heures, tantôt fervent, tantôt galant, tour à tour passionné par la langue grave de Virgile, et l'instant d'après par des odes futiles.

Il lui arrive de se relever. Il écrit en appuyant sur sa plume de fer des sentences qu'il jettera au feu dès le lendemain, mais qu'importe. L'écriture l'allège quand elle est précise. S'il ne devait retenir qu'une seule chose de toutes ses années ici, ce serait cela : la précision est une chose que les hommes doivent à Dieu. Certains soirs, il se relit, trouve ses phrases mal dégrossies, plagiées, jette violemment sa plume. Lui revient alors le verdict de Lancelot : « La poésie n'est point votre talent. » Et cependant chaque matin, une fois sa prière achevée, il se relève avec le même élan vers la tâche qui l'attend : prendre un bloc de langue et tailler dedans. C'est devenu une habitude, un entraînement, il versifie comme on cisèle, avec application, patience.

Il imite Ronsard, d'autres poètes profanes qui lui servent à chanter les louanges de ce lieu sacré, tantôt désert, tantôt port, qu'il baptise de tous les noms possibles pour oublier qu'il n'en connaît pas d'autres.

Saintes demeures du silence,
Lieux pleins de charmes et d'attraits,
Port où, dans le sein de la paix,
Règne la Grâce et l'Innocence.

C'est d'un ennui, lui dit son camarade. Trouvez autre chose.

Jean s'étonne de cette sévérité soudaine. Jusque-là, le marquis était son meilleur public, son allié le plus cher, en dehors de son cousin Antoine avec qui il échange de plus en plus de lettres depuis que ce dernier étudie sa philosophie à Paris. Des lettres qu'il lit parfois en marchant dans les courantes du château et auxquelles il répond ardemment tandis que le marquis est assis dans son dos, parfois même devant lui.

Que voulez-vous dire ?

Vos oiseaux, vos eaux cristallines ! De grâce, trouvez autre chose, répète le marquis.

Mais Jean a beau chercher, il ne lui vient que ce qu'il a déjà lu sous d'autres plumes, des figures, des images qu'il cueille sans les former. Il pourrait au moins parler de ce qui le touche vraiment, la beauté de ce jardin autrefois si morbide et dont Hamon a fait des merveilles.

Mes yeux, pourrai-je bien vous croire ?
Suis-je éveillé ? Vois-je un jardin ?
N'est-ce point quelque songe vain
Qui me place en ce lieu de gloire ?

Mais là encore, le marquis l'écoute en bâillant. Un soir cependant, il ose lui dire qu'il a d'abord besoin de s'exercer et qu'il ne cherche pas à lui être agréable.

Vous exercer pour quoi faire ? Ça ne vous mènera nulle part, ces odes !

Je ne sais pas, j'aime voir la prose se transformer en vers.

Si la poésie ne tient qu'à cela, je n'en donne pas cher.

Il réfléchit, un peu contrarié.

Mais voyez ce que j'ai d'abord écrit, explique-t-il, ce jardin est-il un rêve ou une réalité ? Et voyez à quoi cela m'a mené !

Soit, répond le marquis sans conviction.

Mais Jean n'insiste pas. En quelques jours, il compose six odes. Toutes plus champêtres les unes que les autres. S'il n'amuse pas son camarade, il s'amuse beaucoup lui-même. Quoi qu'il fasse, quoi qu'il regarde, un poème lui vient, des rimes. Il en émaille toutes ses lettres, jusqu'aux visites qu'il fait à sa tante et qui deviennent des conversations rimées, presque chantées. Elle sourit à ses effets tout en lui disant de ne jamais perdre de vue l'esprit de sérieux et le respect de Dieu.

J'ai un grand plaisir à chanter les louanges du Seigneur, répond Jean.

Je ne vous parle pas de plaisir mais de respect, mon enfant.

Mais les mots secs et durs prononcés derrière la grille ne l'atteignent plus comme avant. Et sitôt qu'il quitte le parloir, le roulis des vers recommence dans sa tête.

Un soir, las d'être négligé au profit du cousin Antoine, le marquis subtilise l'une de ses lettres. Il n'y est question que de Paris, de promenades et de libelles interdits que le cousin raconte en y mettant l'esprit de l'aventure. Avec son jeune âge, le marquis n'a aucune chance d'exercer le même ascendant sur Jean et devra trouver autre chose pour conserver son attention.

Il s'essaie et s'apprend à concentrer sa colère dans ses cornes, en luttant contre un tronc d'arbre ; il harcèle de ses coups les vents et prélude au combat en faisant voler le sable. Puis, quand il a rassemblé sa vigueur et rétabli ses forces, il entre en guerre, et fond tête baissée sur son ennemi qui l'a oublié. Telle la vague qui commence à blanchir au milieu de la mer haute, puis, à mesure qu'elle s'éloigne du large, se creuse de plus en plus, puis, roulant vers la terre se brise contre les rochers avec un bruit affreux, et retombe de toute sa hauteur ; cependant l'onde bouillonne jusqu'au fond du gouffre, et de ses profondeurs soulève un sable noir.

C'est un passage d'une *Géorgique* de Virgile que Lancelot leur lit un matin. La noirceur du sable impressionne Jean.

Mettez donc un taureau dans le parc ! suggère le marquis en riant.

Ce serait invraisemblable, répond Jean d'un ton sec.

Oui, mais au moins, ce serait drôle.

Il faut que les vers aient un sens, non ? Que viendrait faire un taureau par chez nous ?

Nos vaches en ont toujours besoin que je sache. C'est un besoin dont nous ne pouvons parler. Virgile le fait bien…

Le maître leur a expliqué qu'il avait une bonne raison puisqu'il fallait encenser le travail de la terre pour exalter la vigueur romaine. Jean se demande s'il doit continuer à prendre conseil auprès de ce jeune homme un peu trop sûr de lui. Son humeur change, se trouble et, sans prévenir, il demande au marquis de le laisser seul.

Je m'en vais mais vous me ferez lire votre ode au taureau demain, n'est-ce pas ? insiste-t-il.

Pendant des heures, Jean gratte, rature, essaie d'imaginer le sort d'une grosse bête féroce égarée dans l'abbaye sans se soucier du ridicule. Mais rien de bien ne lui vient. Le matin qui suit, il ose à peine croiser le regard de son camarade. Et ainsi des trois jours suivants.

Après quatre nuits blanches, il tient enfin quelque chose. Il fait signe au marquis de le suivre juste après l'heure du réfectoire et, d'une voix hésitante, commence :

Ses pattes s'engluent dans la boue
Noires, elles noircissent et reluisent
Tel le sang de son profond courroux
Dont le rouge puissant s'aiguise.

C'est lugubre. Je crois que je préférais encore vos petits oiseaux ! s'exclame le marquis. Soyez plus dramatique.

Vous me fatiguez, soupire Jean. Essayez donc vous-même !

Vous voudriez que je sois aussi poète que vous ?

Certainement pas.

C'était peut-être une mauvaise idée, cette histoire de taureau, trop rustique.

La conclusion du marquis le soulage. Mais le soir même, au hasard d'une autre page des *Géorgiques*, il tombe sur ces lignes :

Toute la race sur terre et des hommes et des bêtes, ainsi que la race marine, les troupeaux, les oiseaux peints de mille couleurs, se ruent à ces furies et à ce feu : l'amour est le même pour tous.

Et il comprend que Virgile est tout sauf rustique. Il décide de changer de méthode : il ne montrera plus ses odes au marquis mais les réservera aux lettres à son cousin. Il ne se prive pas pour autant de sa conversation, de sa vivacité, parce qu'avec lui il ne s'agit plus seulement de répondre mais toujours de répartir, de manier les mots comme des flèches menaçant sans cesse de blesser, comme si la façon de les combiner et de les décocher pouvait les rendre plus légères que des bulles. Dans ses lettres, Antoine évoque de plus en plus souvent les surnoms galants qu'on donne aux dames de Paris, le goût des pointes et des pastorales. Il y est question de pièces où hommes et femmes se tiennent ensemble jusque tard dans la nuit, où le nom de Dieu n'est jamais prononcé, où l'on sert des friandises. De ruelles, de salons, d'hôtels. Jean commence à puiser dans ces récits pour nourrir ses compositions secrètes. Et la tête lui tourne parfois tellement qu'il doit quitter inopinément la classe.

Que vous arrive-t-il ? demande Hamon.

Je ne sais pas, je crois que je fais trop de rimes, ça m'étourdit.

C'est ce que j'entends dire de vous. Revenez à plus de logique, de rigueur, suivez les conseils de vos maîtres.

Je voudrais aller vivre à Paris.

La main du médecin accroche le mur devant lui.

L'ennui des lieux conduit à l'ennui des choses, répond-il. Vivez en Dieu.

Hamon s'approche, pose sur son front un linge humide sur lequel il dépose quelques gouttes odorantes.

J'ai moi-même souvent le désir de faire une retraite plus poussée, plus pénitente, ailleurs qu'ici.

À cette idée, Jean s'assombrit. Il ne supporterait pas l'absence de Hamon. Il prend appui sur sa propre peine pour imaginer celle qu'il vient de lui causer. Il ferme les yeux mais ses remords ne lui rendent pas les gestes du médecin plus doux. Pour la première fois, il le regarde comme un vieil homme sec qui ne se nourrit que d'eau et de pain de son, pris dans la gamelle des chiens pour pouvoir donner sa propre ration aux pauvres. Qu'il aille à la Trappe, qu'il aille au Diable, lui ira à Paris ! Hamon ne sent pas sa colère. Sa main reste un moment au-dessus du visage de Jean, les doigts écartés, légèrement tremblants.

Laissez-moi vous raconter une histoire, dit-il.

Son souffle acide suffoque Jean, qui refoule une nausée.

J'étais enfant dans ma maison quand soudain le pignon s'est écroulé et toute la maison avec. Je n'avais pas cinq ans, et pourtant chaque jour les images de ce désastre m'environnent, celles de mon lit tout abîmé. Tout s'est brisé autour de moi et j'aurais dû périr. Je devrai toujours à Dieu mon existence providentielle. Je ne peux vivre qu'en lui. Mais ce n'est pas là l'essentiel. L'essentiel, c'est ce que si j'avais péri ce matin-là, j'aurais péri coupable.

Coupable ? Mais de quoi ?

Ce drame eut lieu le jour des Rois, et la veille j'avais fait excès de bonne chère.

Ah, dit Jean, sidéré.

Ce qu'il aime avec les histoires que Hamon lui raconte, ce sont les métamorphoses qui s'abattent sur les hommes. Comme dans les mythes. Comme Danaé se change en pluie d'or, il imagine le corps sec de Hamon s'envelopper brusquement de chairs dodues.

Dieu m'a donné une chance. Je pourrais vous conter bien d'autres histoires.

Je sais, comme la sainte épine, mais vous me l'avez déjà racontée.

Ne soyez pas si désinvolte.

Pardonnez-moi, s'excuse Jean.

Rien dans le cours de son existence ne ressemble à cette évidence providentielle. Il n'a encore subi aucune métamorphose, il n'a pas encore trouvé Dieu. Son regard cherche à se dégager des prunelles noires quand, sur la gauche, soudain, il avise une pelote de laine et des aiguilles en bois.

Nous ne sommes pas seuls ? s'inquiète-t-il en se demandant à qui peuvent appartenir ces objets.

Mais comment ? bégaie le médecin.

Ce tricot, là, est-ce…

C'est la seule chose que j'aie trouvée pour occuper mes mains sans troubler mon esprit. Je peux ainsi continuer à lire les Écritures.

Et que faites-vous ensuite des pièces que vous confectionnez ?

La question n'est pas là.

Jean ferme à nouveau les yeux pour chasser cet échange incompréhensible. Il ne s'agit effectivement pas de savoir comment Hamon distribue ensuite ses pièces aux pauvres mais de comprendre qu'un homme puisse abriter autant de désaccord en lui. Au moins, quand il écrit, Jean sent-il que ses yeux et ses mains sont à l'unisson. Sous ses paupières s'imprime obstinément l'image du médecin courbé sur son tricot dont les aiguilles cliquettent; la laine est rugueuse, les yeux aveugles à ce que font les mains. Tout en lui s'agace à cette vision de misérable, affublé comme une paysanne qui louche en rêvant à la providence. Il se relève, s'enfuit à toutes jambes. Et ce soir-là, quand le marquis vient frapper à la porte de sa chambre, Jean reste plus immobile et muet que jamais, comme saisi d'un mépris pour le monde entier.

Quelques jours plus tard, il reçoit la visite exceptionnelle de Le Maître au château. Celui-ci lui explique qu'il doit pour un temps s'éloigner de l'abbaye, mais que, bien sûr, il reviendra. En attendant, il lui demande de veiller sur ses livres.

Ce sont les seuls biens auxquels je tienne et je vous les confie, précise-t-il. Nous les entreposerons ici au château pour qu'ils ne prennent pas trop l'humidité et c'est vous qui veillerez sur eux, personnellement, n'est-ce pas ? Mettez de l'eau dans les écuelles afin que les souris ne les rongent pas, nettoyez-les de temps en temps.

Jean hoche la tête.

Mais où irez-vous ? demande-t-il.

À Paris.

Tandis que Le Maître lui présente la ville comme un lieu plus sûr pour ses croyances et sa tranquillité, Jean superpose à ses paroles les récits enjoués de son cousin. Les contours de Paris se brouillent dans son esprit. Jean soupçonne même un instant le maître d'en avoir assez de vivre dans un désert et de vouloir renouer avec le monde.

Je voulais vous demander depuis longtemps, maître… je n'ai jamais osé…

Oui ?

Vous auriez pu avoir la plus éclatante des carrières au barreau, n'est-ce pas ?

En effet.

Votre talent d'orateur faisait l'unanimité…

Oui.

On dit que les jours où vous plaidiez, les autres prédicateurs se retiraient…

C'est exagéré.

Que le cardinal de Richelieu avait des vues sur vous…

Il m'en a tenu grief.

Alors pourquoi ?

Pourquoi quoi ?

Pourquoi avoir renoncé à tant de gloire ?

Je ne voulais pas seulement changer d'ambition, mais n'en avoir plus du tout.

Mais c'est impossible ! s'écrie Jean.

Ce qui paraît une folie devant les hommes ne l'est pas devant Dieu, mon fils.

Vous ne regrettez jamais votre décision ?

Non, mon fils. Jamais.

Dans son lit, Jean se repasse la conversation, ses questions pressantes et audacieuses, l'assurance du maître qui vient lisser ses doutes, mais surtout, chaque fois, cette clausule miraculeuse : mon fils. Il a dix-sept ans et s'endort dessus comme on suce son pouce. Dès lors, il se plaît à la grandeur de sa tâche et soigne les livres qu'on lui a confiés. De temps en temps, Le Maître lui adresse des courriers qui l'avertissent d'un envoi prochain : « Un ouvrage du grand Tacite vous sera bientôt remis. N'oubliez jamais qu'il a été l'élève de Quintilien, comme vous êtes le mien. » Ou à l'inverse, il lui demande de lui expédier son Cicéron in-folio.

Quelques semaines après son départ, un lieutenant civil mandaté par le roi vient inspecter les lieux et évaluer les risques de cabale. Tout est inspecté, fouillé, jusqu'aux cellules des moniales. Ce jour-là, Jean éprouve des appréhensions de fin du monde. Il se cache toute la journée sous sa table, perçoit chaque bruit comme une menace d'enlèvement, imagine le parc vandalisé, jonché de racines arrachées à la terre, les murs des Granges baignés de sang. Il se plonge dans la lecture de Tacite. La passion du pouvoir semble rendre les hommes fous, furieux. En marge, sur l'exemplaire que lui a envoyé son maître, il note d'une main placide : « Furor » puis « Roma/Amor ». Le soir, il apprend avec soulagement que le lieutenant civil est reparti comme il était venu après avoir trouvé les Granges entièrement vides et les moniales à leurs prières.

Heureusement que nous avons les châteaux, se félicite le petit marquis, qui semble avoir échappé à toute inquiétude. Mais qu'avez-vous à faire cette tête ?

Je suis inquiet.

C'est devenu une seconde nature chez vous, on dirait ! Vous n'êtes pas drôle.

Je n'ai pas votre bonne nature.

J'ai quelque chose à vous dire.

Ah ?

Pas ici. Retrouvons-nous à la Solitude ce soir, après le dîner.

Je ne sais pas.

Je vous dis de venir, conclut le marquis.

Les deux garçons sont assis l'un en face de l'autre. Sous le quart de lune, leurs ombres, à peu près du même volume, masquent leurs sept ans d'écart. Celle du marquis paraîtrait presque plus grande. Autour d'eux, les arbres paraissent immenses. Jean lève la tête et, pris de vertige, la baisse aussitôt. Il s'agrippe au banc de pierre, se calme. Le marquis ne voit pas son trouble.

Je vais vous raconter l'histoire de la Journée du Guichet, dit-il.

Je la connais par cœur. Rappelez-vous, c'est la première histoire qu'on nous raconte quand on arrive ici.

Non, non, vous ne l'avez jamais entendue de cette façon.

Le marquis commence à arpenter le rond.

La mère Angélique s'appelle en réalité Jacqueline. Elle est la troisième d'une famille de vingt enfants. Ni son père ni sa mère ne l'aime particulièrement. Mais Jacqueline a un grand-père dont elle est proche et, comme il craint pour son avenir dans une fratrie aussi nombreuse, il la destine au couvent. À onze ans, elle prend l'habit de novice ici même mais elle n'aime pas ça. Elle est trop éveillée et trop… folâtre.

Comment osez-vous ?

Ce sont ses propres mots. Elle passe son temps à se promener au-dehors, à lire des romans et de l'histoire romaine. On la transfère à l'abbaye de Maubuisson, où elle devient la protégée d'Angélique d'Estrée, la sœur de la belle Gabrielle. Jacqueline est alors nommée abbesse de Port-Royal mais elle déteste toujours autant la vie de couvent et consacre peu de temps à la prière. Comme il n'est plus possible de revenir en arrière, elle dépérit, s'affaiblit, tombe malade. À seize ans, Jacqueline rentre quelque temps chez elle pour reprendre des forces mais ne trouve qu'hostilité et froideur. Tandis qu'elle se languit dans son lit, son père s'inquiète pour sa vocation et la fortune qu'il a mise dans l'abbaye. Il doit lui faire signer de nouveau un formulaire. Il s'approche, prend la main de Jacqueline, l'aide à signer. Les yeux mi-clos, elle y voit à peine.

Vous exagérez, vous inventez ! Et cessez donc de l'appeler Jacqueline !

Jacqueline repart à l'abbaye, s'attelle à sa vocation. On pourrait penser qu'elle est enfin ferrée, mais non ! Cinq ans plus tard, elle cherche encore à s'échapper vers La Rochelle. Mais elle tombe de nouveau malade et n'y parvient pas. On est en 1607. Deux ans avant la fameuse Journée du Guichet.

Eh bien ?

Vous ne voyez pas où je veux en venir ?

Non, dit sèchement Jean. En 1608, elle est frappée par le sermon d'un capucin, c'est ainsi qu'elle entre définitivement en Dieu.

J'ai eu une autre version de ce sermon. Mais laissons cela. Le 25 septembre 1609, son père et sa mère approchent de l'abbaye. Il est onze heures, les religieuses sont au réfectoire, on entend le carrosse dans la cour. Mais dès l'aube, on a retiré toutes les clés. C'est Jacqueline elle-même qui s'avance vers la porte contre laquelle son père frappe. Elle ouvre le guichet. Elle lui propose de le voir dans le petit parloir, à travers la grille. Il s'emporte, il tonne de plus en plus fort, mais Jacqueline ne se trouble pas. Sa mère la traite d'ingrate, son père de parricide ! Leurs cris retentissent dans tout le monastère, si bien que les religieuses accourent affolées. Le père les invective, les accuse d'affront. Jacqueline pose son front contre la porte pour ne pas s'évanouir. Ses parents repartiront à la fin de la journée sans être entrés dans l'abbaye. Voilà, j'ai terminé.

Le marquis se rassoit et attend.

Alors, qu'en pensez-vous ?

Jean est abasourdi. Autour de lui, l'air est désespérément immobile. Il se lève, marche dans le cercle, triste et désarçonné.

Dites quelque chose !

Ce n'est qu'une fiction malveillante qu'on vous a racontée. Vous savez comme il faut s'en méfier, surtout en ce moment.

Décidément, vous détestez que ce soit moi qui vous apprenne quelque chose. Si c'était votre cousin…

Mon cousin n'aurait jamais osé ! Rentrons.

Ce sera notre secret, alors ?

Rentrons.

Le récit du marquis a provoqué des pensées que Jean s'efforce de garder très serrées les unes contre les autres. Malgré tout, elles enflent. Il remonte les cent marches en silence, plus vite que le marquis qui galope derrière lui. Est-ce sur un vulgaire chagrin que la mère fondatrice a bâti son église ? Le chagrin est-il vulgaire ? Y a-t-il meilleure raison que lui pour croire ?

Chacune de ses foulées semble réveiller, entre les pierres, des sifflements enfouis, les ondulations d'un venin échoué dans une paroi de miel. Il se demande si le marquis les entend aussi.

Cette nuit-là, il ne trouve pas le sommeil. Ses doigts courent sur les reliures des livres du maître et s'arrêtent sur une toile plus fine que les autres. Il retire l'ouvrage de la pile. C'est un cahier rempli de notes manuscrites. Son maître l'aura laissé par mégarde. Jean hésite. Ce sont des notes éparses, des morceaux de traductions du latin, du grec, des commentaires comme jamais il n'en a entendu de la bouche du maître : « Une traduction toute littérale est un corps sans âme, le corps étant d'une langue et l'âme d'une autre. » Ou : « Trop de fidélité conduit à confondre un homme mort et un homme vivant. » Le maître s'exprime avec une violence qu'il ne lui connaît pas. Jean lit et relit, rapproche sa bougie. Le maître parle des langues comme si c'étaient des personnes, des créatures complexes vis-à-vis desquelles les hommes seraient obligés. Plus encore, il ne cesse d'évoquer leurs grâces et leur beauté. Jean tourne les pages de plus en plus lentement. Puis les paragraphes s'allongent jusqu'à former un pan de texte plus long que tous les autres. C'est le chant de Didon, dit Jean, stupéfait. Les mots français se chevauchent, se bousculent autour des ratures. Les mêmes vers sont traduits deux ou trois fois de suite et différemment. Jean lit à haute voix mais rien ne lui plaît. Les phrases sont trop longues, les charnières trop saillantes. Il attrape les cahiers qu'il a remplis lui-même à Beauvais et qu'il cache au fond d'un meuble, compare ses propositions à celles du maître, mot à mot. Il préfère les siennes. Il lit : « Trois fois se redressant, du coude s'appuyant, à grand effort elle s'est soulevée, trois fois elle roula encore sur le lit, de ses yeux errants elle a dans le ciel si haut cherché la lumière et gémi, l'ayant trouvée. » C'est beau mais c'est pompeux, pense Jean, on ne sent pas la chair du bras, ça ne se déploie pas. Il saisit alors sa plume et note par-dessus les mots du maître : « Trois fois elle se redresse, une fois elle s'appuie, se soulève, trois fois sur le lit elle roule, de ses yeux fous elle fouille le ciel si haut, cherche la lumière, et quand elle l'a trouvée, une seule fois, elle gémit. » Je n'ai pas le droit, se dit-il, en biffant rageusement ce qu'il vient d'écrire. Il jette sa plume puis ses yeux avisent, un peu plus bas, une autre traduction. Il en reconnaît chaque mot comme s'il les avait écrits, parce que précisément il les a écrits. Il les avait soumis au maître, qui, devant tout le monde, les avait rejetés sans appel. Jean se lève, troublé par toutes ces preuves d'irrespect, le sien, celui du maître. Il arpente sa chambre nerveusement. Il se rassoit à sa table, feuillette d'autres pages du cahier et décide de s'en tenir à ce dernier commentaire : « La brièveté du latin et a fortiori du grec rendrait la traduction trop obscure. On peut donc rallonger celle-ci mais encore faut-il en trouver la juste longueur. » Jean reprend sa plume et, dans son cahier à lui, reporte calmement cette observation. Il souffle sur sa bougie avec le sentiment de tenir au moins une ligne de conduite au milieu de son trouble. Au fond nous sommes d'accord, se dit-il en fermant les yeux, mais ses paupières tressaillent encore longtemps sous l'influx de ses nerfs.

Entre le marquis et lui, quelque chose change, comme si soudain la mère Angélique n'était plus le portrait sévère qui les toise dans le réfectoire mais une jeune fille de seize ans susceptible de prendre part à leurs conversations. En dînant, parfois, leurs regards se croisent sur le tableau. Ils esquissent un sourire, pas plus.

Un matin, en remontant le long couloir, Jean aperçoit une malle. Le marquis lui annonce qu'il repart pour Paris, que sa famille en a décidé ainsi. Il supplie Jean de le rejoindre au plus vite. Jean sait se composer un visage égal mais il est désespéré. Et quand il voit la malle hissée sur le carrosse, une artère se coupe en lui. Il n'a plus goût à rien. Il se couche sur son lit au beau milieu du jour, manque les heures de classe et regarde le plafond en pensant qu'être un homme, c'est aussi cela, rester au milieu des heures comme un piquet de bois dans les vagues. Jean se demande si Jacqueline autrefois a éprouvé cela.

Il ne mange plus, n'étudie plus, ne prie plus. Ses maîtres s'inquiètent, se relaient à son chevet. Lancelot discute avec Hamon dans un coin de la pièce. Dans leurs murmures, Jean ne démêle ni colère ni impatience. Parfois la main du médecin prend la sienne et égraine ses phalanges comme le chapelet de sa prière.

Quand, enfin, on vient lui annoncer qu'il ira lui aussi à Paris, Jean rouvre les yeux. Son corps met quelques jours à assimiler la nouvelle, puis recommence à s'alimenter. Il retrouve sa vigueur et son sourire, le plaisir de lire les lettres de son cousin et, depuis peu, celles du marquis. Un matin, tandis qu'il a enfin pu se rasseoir pour se remettre à sa table, il lui écrit :

Votre départ au fil des jours
M'a ôté l'espoir du retour
Mais on m'annonce une nouvelle
Qui en mon âme met l'étincelle
De quitter enfin ce désert
Et d'aborder cette vaste terre
Où l'on dit les arbres fleuris
Par de douces galanteries
Qu'à vos côtés je chanterai
Par les faubourgs et les quartiers
Pour qu'à nouveau soient réunis
Nos cœurs amis en plein Paris.

Il n'a plus composé de vers depuis des semaines et, bien qu'ils soient pauvres et mauvais, il savoure le plaisir d'un vent nouveau qui le pousse jusqu'au parloir. Il informe sa tante de son départ. Elle l'accueille froidement, lui recommande la plus grande prudence. Dans la foulée, il va trouver Hamon. Ni l'une ni l'autre ne comprend son impatience et sa joie. Pourtant cette sensation de vigueur retrouvée ne le quitte pas. Il pourrait se fier à leur expérience et à leur sagesse, mais à quoi lui servirait de prier et d'étudier s'il ne sent plus couler la vie en lui ? Il regarde longuement le médecin, se demande ce qui peut bien couler sous ce visage maigre et cireux.

À travers la fenêtre du carrosse qui l'emmène à Paris, Jean comprend qu'on peut traverser l'espace comme les sentiments nous traversent : les paysages familiers se retirent tandis que les nouveaux s'approchent, en masse. Ses souvenirs se mêlent à ses espoirs, sans doute aussi pour incarner ce qui n'a pas encore de visage. Il est à la fois triste et grisé mais il n'a ni fortune ni statut. Il n'a qu'une ambition, celle de composer des vers qui plaisent et qui restent. À l'idée de naissance ou de providence, il doit résolument substituer celle de carrière. Le verbe plaire entre dans son vocabulaire.

Le marquis vient l'accueillir dans la cour de l'hôtel. Ils sont de la même taille à présent. Jean ignore ce qui le réjouit le plus : retrouver son ami ou vivre près du fleuve.

Vous ne semblez pas si content de me voir?

Bien sûr que si!

Pas autant que moi, mais ce n'est pas grave, avec vous, j'ai l'habitude. Je vous préviens, désormais, vous m'appellerez Charles. Et moi, je vous appellerai Jean.

Jean acquiesce, trébuche contre un pavé. Charles le rattrape. C'en est fini, pense Jean, ici, à Paris, c'est lui le maître.

Le soir, Jean retrouve ses cousins qu'il ne connaît finalement qu'à travers les lettres d'Antoine. Nicolas, l'aîné, est devenu l'intendant du duc, le père du marquis. Charles jubile devant leur gêne, cette façon d'être liés sans avoir rien partagé alors qu'entre Jean et lui, c'est si familier. De Jean, il a presque tout vu, les réveils, les couchers, la peur, la désobéissance, la honte, le rire. Il n'empêche. Jean, chaque fois qu'il vient vers lui, se déplace et se rapproche de l'un ou l'autre des deux frères, tantôt Antoine, tantôt Nicolas, qui ne cesse de chanter ses louanges.

Mon cousin est si talentueux. Ses maîtres ont tant vanté son grec et son latin, sa déclamation, il paraît qu'il récite Eschyle comme personne.

Eschyle n'est pas très divertissant! s'exclame une femme.

Jean sourit, baisse la tête, ne sait où trouver sa contenance. Charles ne lui est d'aucun secours. Il veut dire un mot, répondre, remercier, mais rien ne lui vient. Il n'a jamais vu cela, tous ces visages souriants, l'immense feu qu'on vient sans cesse alimenter, les sièges, les mets et les boissons qu'on lui offre. Et surtout les femmes et les hommes, ensemble, qui se parlent dans une langue nouvelle. Charles a proposé de l'escorter jusqu'à sa chambre. Jean est obligé de tenir un peu les murs pour avancer.

Le voyage vous aura fatigué, on dirait ?

Sans doute.

Et tout ce monde aussi ?

Je n'ai pas l'habitude.

Qu'en penserait notre bon père Hamon ?

Jean s'arrête, les yeux pleins de colère.

Ne me dites pas que vous le regrettez déjà ? demande Charles.

Bien sûr que non.

Vous vous habituerez, soyez sans crainte. Vous savez apprendre les langues, vous saurez apprendre celle-ci.

Jean entre dans sa chambre, s'allonge avec le sentiment d'avoir été gavé. C'est une langue trop grasse, trop suave, trop rapide, où le temps de réfléchir compte pour rien. Il se relève pour vomir.

Au fil des semaines, il se compose de nouvelles routines. Au lieu de plonger dans Quintilien ou Tacite dès le réveil, sur les conseils d'Antoine, il décide d'arpenter la carte de Tendre. Il n'en saisit pas toute la profondeur, mais docilement il apprend les mots d'un lexique au centre duquel règne un fleuve nommé Inclination. Jean dépiaute ce nom comme un os, le prononce de toutes les manières possibles en variant les accents, le rythme, la longueur des syllabes, l'utilise dans des phrases qu'il invente pour le voir surgir à tous les endroits, tantôt nom commun, tantôt nom propre. Il pense que sa nouvelle existence va suivre le cours des fleuves, celui du roman, mais aussi de la Seine qui s'écoule à quelques mètres à peine. S'il s'en remettait à la ligne verticale des arbres du vallon, il doit maintenant se rabattre sur la courbe sinueuse d'une vie dans le monde. Cette translation claque parfois dans son cœur avec une brutalité qui lui coupe le souffle, mais il se rassure : ce qui compte, c'est d'avoir une direction, quelle qu'elle soit. Il se souvient du roman d'Héliodore, l'histoire des deux jeunes amants, et quand il s'en récite des passages, il essaie d'y placer le fameux mot, inclination. Chaque fois pourtant, il se dit que ça ne va pas, qu'il est trop mou, trop délicat, qu'il ne témoigne en rien de ce courant puissant qui pousse les personnages l'un vers l'autre. Et finalement ce qu'il préfère de la carte de Tendre, avoue-t-il à Charles, ce sont la mer dangereuse et les terres inconnues.

Mais on en dit si peu de chose, ajoute-t-il.

Les passions n'intéressent personne ici, tranche le marquis.

Jean apprend vite. Après deux semaines, la langue de salon ne lui est plus étrangère. Il en comprend les tournures, les saillies, la physiologie. Il anticipe avec exactitude les éclats de rire, qui valent presque autant que les mots pour lier les phrases. C'est un nouveau matériau sonore. Il observe, il imite, formule des réparties qu'il ne profère pas car il ne s'est pas encore fait la voix. C'est comme une mue, pense-t-il. Outre les plaisanteries qu'il partageait avec le marquis, Jean n'a jamais entendu rire à Port-Royal, peut-être quelques moniales au loin, mais parmi ses maîtres, aux Granges, personne. Il ferme les yeux un instant, se force à imaginer le rire de Lancelot, de Hamon, de sa tante. Rien ne lui vient.

Un soir, tandis que tous les fauteuils sont disposés en cercle pour un jeu, soudain Jean superpose à ce rond de lumière celui de la Solitude. À la chaleur de l'un répond l'humidité de l'autre, à la clarté, sa pénombre, à la circulation des bons mots, un silence désolé. Il semble que toutes les vies aient besoin de se disposer autour d'un centre, se dit-il.

À quoi pensez-vous ? Vous n'êtes plus des nôtres, on dirait ? lui demande Charles.

Je me rappelais cette soirée où vous m'aviez raconté l'histoire de Jacqueline. Dans la Solitude.

Vous m'en voulez encore ?

Non. J'essaie seulement d'imaginer Jacqueline dans ce salon, l'autre vie qu'elle aurait pu avoir.

Aurait-elle été plus heureuse ?

Ou plus malheureuse ?

Ils ne cherchent pas à conclure, ne se heurtent pas, se conforment aux autres échanges qui tournent dans la pièce. Jean a constamment le sourire. C'est un nouveau tempo, une nouvelle cadence des battements de son cœur qui s'imprime sur son visage. Ni la prière ni les auteurs n'ont jamais levé en lui cette mousse légère qui lui fait gravir les marches deux à deux et courir dans les rues de Paris. Il imagine que l'écume des vagues se dépose ainsi sur les rochers, car, en tout être, il y a toujours de la roche et de l'écume.

Votre délicatesse, madame, n'a d'égale que votre tendresse.

C'est un mot pour la femme de son cousin, si gentille, si prévenante avec lui, le premier qu'il dit si fort et devant tout le monde.

Charles le regarde d'un air consterné tandis que tous les autres se félicitent de la diversité de ses dons, de cette facilité qu'il a de passer de Plutarque aux compliments les plus galants. Mais Charles ne tient plus en place.

Vous vous êtes entendu ?

Vous n'avez pas aimé ?

L'autre sourit.

Jean, vous devez être souffrant.

Laissez-moi, vous m'embêtez.

Et Jean comprend ce soir-là qu'il va lui falloir se

défaire du marquis comme d'un remords permanent qui l'enchaîne à la gravité qu'il veut distancer. Après tout, c'est facile pour lui, se dit-il, c'est un marquis, tout lui est possible. Ses remontrances ne lui sont que des poids qui le tirent en arrière. S'il l'a mené jusqu'ici, il ne le mènera pas plus loin. Il décide de l'ignorer.

Dans les yeux de Charles, la tristesse s'installe. Un matin, il frappe à sa porte. Jean ne répond pas.

C'est important.

Revenez dans une heure.

Jean, quelqu'un est mort.

Vous ne savez plus quoi inventer pour m'interrompre.

Jean va ouvrir rageusement. Le marquis lui tend la lettre que vient de recevoir son père et qui lui annonce le décès d'Antoine Le Maître. Jean s'assoit.

Le chagrin ne commence pas par le chagrin, dit-il à Charles après un moment. Je n'ai pas envie de pleurer.

Ses pensées se bousculent. Il faut du temps pour mesurer l'espace qui va vous séparer de quelqu'un. On est si proches et le lendemain si loin, l'esprit ne suit pas, il doit accommoder. L'élégie, ce sont les pleurs du jour suivant, pas du jour même. On ne pleure pas le jour même.

Décidément, vous m'étonnerez toujours, dit le marquis, déçu de ne pas pouvoir le consoler.

Je dois me remettre à travailler.

Jean reprend sa plume mais sa main tremble. Il note toutes les phrases de Quintilien qui lui reviennent, celles de Tacite, et pense à tous les volumes du maître sur lesquels il a veillé pendant des mois au château. Je vivrai en eux, se dit-il, mais je viens de perdre le dernier homme qui m'appelait *mon fils*.

Ses larmes jaillissent : elles sont douloureuses parce qu'elles percent une résistance, et pourtant le soulagent. Enfin ses yeux retrouvent leur mobilité, relâchent cette hébétude dure dans laquelle la nouvelle les avait figés. Certains pleurs sont donc du jour même, admet-il.

Quand il retrouve le rond du salon, il esquive tous les regards qui cherchent à lui exprimer leur compassion, même celui de sa cousine. Il se comporte comme tous les soirs bien qu'il ait renoué toute la journée avec la langue de Quintilien. Mille pensées lui viennent. C'est une langue de parlementaires que les gens d'ici ne peuvent pas parler. C'est une langue princière que Le Maître a voulu lui inculquer dès l'enfance alors qu'il n'avait rien d'un prince. C'est une langue rude et concise qui ne cherche pas à plaire mais à vaincre tandis que celle du rond s'ébroue, se rengorge, minaude. Personne ici n'abat de véritable coup, tout le monde se relève. On ne cherche pas à avoir le dernier mot mais à plaire, surtout aux dames. Ce soir-là, il remonte épuisé d'entendre ces deux timbres se chevaucher en lui, le son lourd des épées, le rire cristallin de sa cousine.

Pourquoi tant vouloir plaire aux dames? demande-t-il le lendemain à son cousin Nicolas.

Réfléchissons, mon garçon… Quand on n'a pas la naissance, il nous reste la fortune. Or qui dit fortune dit alliance. Vous n'aurez pas d'autre choix.

Jean hoche la tête en avisant le regard jaloux de Charles qui, depuis quelques jours, ne cherche même plus à l'approcher. Oui, tout ce charme déployé, se dit-il, toutes ces grâces, ne sont que les voiles sous lesquels on camoufle l'enjeu principal, l'intérêt. On fait semblant de ne parler que d'amour quand on ne pense qu'à l'argent. Il y a tout cela dans une langue, ces ruses, ces parades. Sur le moment, cette révélation l'étourdit, mais les jours suivants, le chagrin ne le laisse pas en paix. Sans cesse, il doit juguler le courant qui s'exerce contre ses pensées, ses actions, ses projets. Un mot le ramène à son maître, un geste observé sur quelqu'un d'autre, une odeur de papier, de poussière. Chaque fois, il se débat pour garder le regard haut et clair, ne pas laisser le passé obscurcir le présent. Il ne s'en ouvre à personne alors qu'il pourrait partager certains souvenirs avec le marquis qui n'attend que cela, ou même ses cousins, qui, en leur temps, ont aussi connu Le Maître. Mais il ne veut pas. Il maintient ses frontières, ses cloisons. Il y a Port-Royal et il y a Paris. S'il commence à mélanger, il se perdra. Alors il décide d'écrire à sa tante. Au moins, avec elle, les lignes sont nettes.

« Le chagrin vous jette dans un courant puissant parce que tous les mouvements de votre cœur visent à ranimer une chose perdue, morte. Il me semble parfois y dépenser toutes mes forces et me retrouver le soir mort à mon tour, exsangue. Incapable de reprendre la lutte le lendemain. Didon ne disait pas autre chose. »

Il rature cette dernière phrase, pense à l'indignation de sa tante. Puis il rature tout ce qui précède puisque l'amour de Dieu console de tous les chagrins. Il commence une nouvelle lettre, exprime sa tristesse, évoque à très grands traits sa nouvelle vie. La réponse de sa tante est cinglante. Elle condamne son oisiveté et lui rappelle qu'il n'a plus mis les pieds à l'abbaye depuis des mois. Elle ne comprend pas. Un instant, il imagine son visage blanc contre la grille du parloir et se dit qu'il ne saurait plus le peindre à cause de tous les autres visages de femmes qui se présentent à lui. Leurs couleurs, leurs cheveux, leurs mines, tout désormais se met en travers de ce visage qui ne s'est jamais regardé lui-même, qui ne connaîtra jamais d'autres glaces que celles qu'éventuellement on lui tendra pour constater que son souffle s'est tari. Il regrette aussitôt sa pensée, reprend sa plume pour promettre à sa tante qu'il viendra la voir prochainement. Mais les semaines passent et Jean n'y va pas.

La galanterie le distrait chaque jour davantage. Jean veut être de son temps, plaire aux dames. Il s'empresse de lire les auteurs dont il entend parler, Voiture, Malherbe, Saint-Amant. Antoine lui prête des livres. Les exercices auxquels il se livrait en cachette avec le marquis dans sa chambre du château lui reviennent en mémoire. Il retrouve le plaisir de versifier, de rimer, de travailler la langue en musique. Il note des thèmes, des noms, « beauté de Célimène », « profondeur de la Seine », « soulier de Narcisse », et se lance. Il compose des pans de prose qu'ensuite il taille. Le sujet lui importe peu, il lui arrive de ne même pas vraiment savoir de quoi il parle. La mélodie guide son maillet, la rime est un ciseau dans ses mains. Il peut passer des heures à la finition, hésiter mille fois entre deux mots, les déclamer jusqu'à n'en plus percevoir que le son aléatoire et insignifiant, la pure vibration syllabique. Jusqu'à en oublier les heures, les bruits de la ville. Il s'exerce à toutes les formes qu'il voit sous la plume des autres, madrigaux, ballades, épigrammes.

On peut passer une vie à se répandre en paroles qui ne disent rien mais qui chantent bien, dit-il un soir à son cousin.

Vous avez le talent pour dire et chanter à la fois, lui répond celui-ci.

Jean prend ce compliment pour une demande et commence un sonnet en vue de la naissance prochaine du premier enfant de son cousin. Il a vu le ventre de sa cousine grossir au fil des mois. Il n'en avait jamais vu auparavant. Il n'a même eu d'yeux que pour cette poussée de chair sous les robes. Chaque fois, il a regardé le visage doux de la jeune femme sans pouvoir empêcher ses yeux de glisser, de venir buter contre l'appendice. Sous les mines galantes, il a imaginé des scènes silencieuses qui mettent en défaut tous les mots qu'il connaît. C'est une occasion rêvée mais il n'a que quelques jours devant lui. Il est sur le point d'achever le deuxième quatrain quand surgit une nouvelle silhouette dans le rond. Celle d'un abbé, jeune, galant, spirituel, à peine plus âgé que lui.

François devient l'âme du salon et présente tout ce qu'il compose. Une vraie machine à faire des vers, se dit Jean avec envie, tout de même intrigué de constater tant d'harmonie entre l'appel de Dieu et l'amour des dames. Soir après soir, Jean le regarde évoluer comme un funambule en se demandant de quel côté il finira par tomber. Un après-midi, François presse Jean.

Vous ne dites jamais rien…

Donnez-moi encore quelques jours, répond Jean sans se troubler.

Le petit marquis est là. Il ne se contente pas de noter son aplomb. Il remarque aussi que les yeux de Jean sont aimantés par ceux de l'abbé, qu'ils ne se déplacent qu'en les suivant et que, dans cette nouvelle course, il trouvera encore moins de place que dans celle des cousins. Deux jours plus tard, on apprend à Jean que Charles est parti reprendre des forces loin de Paris. Il s'étonne.

Vous n'aviez plus assez d'attention pour lui, dit son cousin Antoine dans un sourire narquois.

Que voulez-vous dire ? Que je suis la cause de son mal ?

Je n'irais pas jusque-là…

Jean n'insiste pas, ne tranche pas. Sa négligence aura soit causé le mal soit empêché qu'il le voie. Pour l'heure, tout ce qu'il conclut de ce départ impromptu, c'est que Charles ne lui manquera pas, et que, dans sa vie, les personnes se suivent et se succèdent comme les degrés d'une échelle. N'est-ce pas d'ailleurs le cas de toutes les vies ? Les différentes périodes et circonstances façonnent l'enchaînement sans qu'on ait même besoin de le décider. Il aura eu ses maîtres, Hamon, le marquis, ses cousins. Et maintenant François. Il n'aura été fidèle à personne.

Dans le rond, François galvanise tout le monde. L'enjouement habituel monte d'un cran, les voix portent plus loin, les rires sont plus stridents, chacun y va de sa performance. Le sonnet de Jean prend du retard parce que chaque fois qu'il retrouve sa table, il met un temps fou à calmer ses esprits. Les vers des uns et des autres bourdonnent dans sa tête, s'insinuent durablement, l'empêchent de se concentrer. Et quand la fille de son cousin naît, il n'est pas prêt.

Je serais vous, je ne raterais pas une occasion pareille ! s'exclame François.

Piqué, Jean travaille d'arrache-pied. Il ne quitte plus sa chambre pendant des jours, écrit, rature, module sa lecture, pousse ses aigus, creuse ses graves.

Un soir, enfin, il se lève dans le rond. Toutes les têtes se tournent vers lui. Il commence immobile puis, au quatrième vers, se met à marcher. Sa main s'agite comme si c'était la main d'un autre, trace dans l'air des lignes, des gestes qui ne s'adressent à personne, qui viennent juste esquisser, conférer un volume à ce qui n'en a pas.

Bravo ! s'exclame son cousin quand il a terminé. Quelle merveille ! Quel talent !

Jean regarde sa main qui tremble encore quand François le complimente et lui propose de l'emmener dès le lendemain dans un endroit qu'il ne connaît pas et qu'il aimera.

C'est un lieu exigu et rempli de tables. Le vin y coule avec les paroles. Jean n'y a encore jamais goûté que modérément dans le salon de son cousin, et encore, dans de tout petits verres. Mais il regarde François qui en avale des pots entiers et dont la voix change, mollit, traîne sur les mots. Les seins des femmes qui servent s'étalent devant lui comme des lèvres épaisses, charnues, d'une blancheur que Jean ne connaît pas, bordées de reflets roses ou jaunes. François attrape une serveuse par le bras, fait couler un long filet de vin rouge sur sa gorge puis vient lamper le liquide à même sa peau. Sa langue s'agite, cherche, tandis que la chair humide tressaille sous les rires. Puis les rires se calment. La langue lèche longuement le vin entre les seins, repousse les bords du vêtement. François relève brusquement la tête et vient mordre la bouche plus haut. C'est du vin mêlé de salive blanche qui mousse entre leurs lèvres. Tandis que les autres têtes avisent déjà une autre scène, Jean ne peut regarder ailleurs. Et quand enfin François se redresse, il sourit.

C'est un plaisir inouï, dit-il, un peu hébété.

Jean ne sait pas de quoi il parle mais il a senti son corps se raidir sous la table, se réduire à une crampe absolument délicieuse. À vingt ans, il vient de comprendre que plaire aux dames peut susciter une autre satisfaction que celle d'un patrimoine prospère. Une satisfaction sans avenir qui change le regard qu'on pose sur les heures, l'ennui et la rigueur, et dont personne jusque-là ne lui a jamais parlé. Il boit d'une traite le pot de vin devant lui.

Il se réveille en sursaut au milieu de la nuit. Sa gorge est sèche, sa tête lourde. Il ne sait s'il se sent mal ou bien. Tout ce qu'il sait, c'est que, depuis son sonnet, l'espace s'est encore ouvert. Le rond n'est plus assez grand. Des images floues le traversent, des visages de femmes, d'autres parties du corps, des liquides qui coulent à flots. Il lui tarde de retrouver François la nuit prochaine.

Sa routine change. Il travaille tout le jour à ses compositions, paraît au salon puis s'éclipse avec François. Il n'a plus besoin de vider ses pots d'une traite pour se lancer, il apprend à les siroter et à goûter lentement l'effet du vin sur ses paroles. Elles se délient, se gorgent d'audace, de raillerie, lui valent de plus en plus d'attention. Au milieu des tablées, il livre aussi le butin du jour sans se priver de citer Virgile, Ovide et Homère. On mesure l'étendue de son savoir, sa discipline exemplaire. On le défie, il excelle. À côté des siennes, même les réparties de François s'affadissent.

C'est certes un bel esprit, mais l'homme de lettres, c'est vous, lui dit-on.

Un jour, sans prévenir, François enthousiasme la tablée en faisant rimer un passage de L'*Odyssée*. Jean se hérisse. François a choisi le passage où Nausicaa, la princesse, parle à son père, le roi Alcinoos, et l'appelle « son papa chéri ». Les mots grecs reviennent frapper l'esprit de Jean, *pappa phile*, si simples, si tendres, une merveille qu'aucune galanterie n'égalera jamais. Ça ne se fait pas, se répète-t-il. Il contient sa colère mais sort brusquement du cabaret. Malgré ses efforts et toutes les années passées, il se laisse encore mener par cet esprit de sérieux, cette intransigeance, cette bile noire. Tout inadéquats qu'ils sont, les vers de François valent-ils qu'il se mette dans un état pareil ?

L'air frais de la rue le calme. Après quelques mètres, il décide de revenir. Il s'efforce de sourire en regagnant la table de son ami quand, à sa droite, une voix lui glisse :

On ne fait pas rimer Homère de cette façon. C'est indigne, n'est-ce pas ?

Jean tourne la tête, dévisage l'homme, lui sourit.

Commence alors une discussion comme il n'en a plus eu depuis qu'il a quitté ses maîtres. Pendant que François débite ses galanteries, ils regardent leurs mains, leurs pots de vin, la viande qui traîne au fond d'un plat, les visages rougeauds. Aux phrases qu'ils disent s'entrelace ce qu'ils voient. La langue d'Homère ne se contente jamais d'enjoliver, disent-ils, elle accueille les choses triviales de la vie sans se ternir, avec naturel.

À côté, la pure galanterie est aveugle, n'est-ce pas ?

Au milieu des rires et des voix légères, ils parlent crûment, sans se soucier de mettre la mousse, les piquants et les fleurs des conversations de salon. Il n'est question ni de convaincre l'autre ni de lui plaire mais seulement de comprendre avec lui. Enfin, ce n'est pas tout à fait vrai, se dit Jean, cet homme me plaît et je veux lui plaire.

Vous voyez ce passage où Calypso donne à Ulysse un vilebrequin et des clous ? demande l'autre.

Bien sûr ! Et quand Circé transforme Ulysse et ses compagnons en cochons ! renchérit Jean.

Pourceaux, habituellement, on traduit par pourceaux…

Et moi, je préfère dire cochons, ose Jean, en répétant le mot plusieurs fois. Cochons, cochons, cochons.

Ils éclatent de rire.

Ni vous ni moi nous ne pourrons jamais atteindre une telle simplicité.

Il doit bien y avoir un moyen, insiste Jean. Nous trouverons.

Jean a l'habitude de rencontrer de beaux esprits, mais là, il vient de se lier avec un homme qui semble embarrassé des mêmes défis que lui.

François part prendre les eaux quelques semaines. Ils s'écrivent, se racontent leurs journées, leurs rencontres. Jean évoque son nouvel ami La Fontaine, les beuveries, les incidents de cabaret, en concluant systématiquement ses lettres par « si on m'avait dit que de tels endroits existaient dans le monde », qui amusent son interlocuteur. François lui dit qu'il est tombé amoureux d'une toute jeune fille de quatorze ans, se répand en louanges et en scrupules. De lettre en lettre, le ton monte et Jean comprend que l'amour est une source intarissable de poésie. Il franchit un nouveau cap, s'invente des bien-aimées, propose des divertissements aux membres du salon en faisant rimer *Madelon* et *horizon* ou *Climène* et *inhumaine*, avant de partir retrouver les femmes du cabaret à qui il ne demande même pas leur prénom.

Et pour la première fois de sa vie, Jean s'amuse. Il l'écrit à François en lettres capitales. Il file d'un plaisir à l'autre, tantôt lettré, tantôt charnel, découvre toute une gamme intermédiaire de sensations agréables, exquises, entrevoit la possibilité que ces sensations puissent régir toutes les ambitions que s'inventent les hommes.

En partant, François lui a laissé un traité médical en latin qui badine sur les moyens d'avoir de beaux enfants. Jean s'abreuve de périphrases doctes où s'enroulent des corps chauds, pleins d'humeurs et de liquides. Le soir, il en agrémente ses tirades galantes. Il lui arrive de penser à l'esprit de Hamon qui connaît ces détails, ces fonctions, mais qui les a enfouis sous des montagnes de silence. Il se revoit allongé dans la salle de soins, près du vieux médecin, son tricot posé dans un coin. Qui étais-je alors ? se demande-t-il. Hamon a-t-il jamais touché le corps d'une femme autrement que pour le soigner ? Mais sa pensée ne dure pas, s'évapore comme un gaz.

De temps en temps, il propose à ses amis des promenades. La Fontaine partage avec lui le goût des arbres. Ils marchent, s'arrêtent devant un tremble, un platane, se taisent un instant, repartent. Un après-midi, Jean a une sorte de révélation : il comprend que les arbres ne changent jamais, qu'il aura beau se modifier en fonction des aléas et des circonstances, varier ses routines, ses amitiés, ce qu'il a vu enfant demeurera certainement jusqu'au bout, comme un socle, une garantie contre les mouvements du temps.

Mes humeurs à moi tournent comme la terre, explique La Fontaine. Un jour, je lis Malherbe, le lendemain Platon, Rabelais le surlendemain.

Il lui confie dans la foulée qu'il a même eu une femme et un fils autrefois. Il parle calmement, sans baisser les yeux.

Dans une autre vie, précise-t-il.

Je croyais être le seul à avoir eu une autre vie, dit Jean.

Détrompez-vous, la vie n'est vraiment pas ce que l'on croit.

Jean aime cette maxime, simple et naturelle, presque candide. Elle lui paraît à la fois vague et précise, grossière et infaillible.

Il continue à recevoir les lettres grincheuses de sa tante. Il ne les lit qu'en diagonale, les entasse dans un coin. Inlassablement elle se plaint de son silence et des rumeurs d'impiété qui enflent à son sujet. Et, un soir, son cousin le cueille et lui annonce qu'il devra bientôt quitter Paris pour Uzès.

Quand ? demande Jean.

D'ici peu.

Jean masque son trouble : il n'a pas les moyens de s'opposer aux décisions qu'on prend pour lui puisqu'il est sans fortune. Le même soir, il apprend que le roi va se marier. Cette nouvelle soulève son cœur.

Le royaume de France va donc s'étendre. Il décide d'écrire un poème d'éloge, dans la noble tradition de l'ode, le genre lyrique le plus haut dans la hiérarchie, d'imaginer le corps du roi au croisement de terres plus vastes que jamais. Il faut ce qu'il faut, se dit-il.

Pendant plus de vingt jours, il ne remet pas les pieds au cabaret. Ses amis le cherchent, le sollicitent, mais, à tous, il répond qu'il travaille. Ils épinglent son penchant pour la pénitence. Jean n'essaie pas de les démentir mais, en réalité, ce qu'il veut, c'est quitter Paris la tête haute. Il se fixe des cadences, s'oblige à former au moins vingt vers par jour. Au bout de huit, il en voit le bout mais revient en arrière, perce des forages autour d'un seul mot, corrige sans relâche. C'est tout le contraire d'une pénitence, se dit-il, ça me grise autant que le vin. Jadis, lorsqu'il écrivait, son sang coulait avec lenteur dans ses veines, désormais il est fluide, rapide, fouetté. Ou peut-être n'avait-il tout simplement pas encore bien identifié la sensation de plaisir, celle qui soulève le cœur, redescend, enflamme le bas des reins, au passage du nerf sympathique. Il revoit les lèvres fébriles de Hamon égrainer les trois syllabes. Il était anormalement agité ce jour-là. Il répétait qu'un Anglais venait de publier un traité révolutionnaire sur les liens infinis entre l'esprit et le corps, une nouvelle science appelée neurologie qui allait transformer la médecine. En écoutant le médecin lui expliquer l'écheveau des nerfs dans le corps,

Jean s'était imaginé la colonne vertébrale comme un arbre plein de fibres et de nœuds mais aussi tous les grands esprits, poètes et savants, qui peignaient, sculptaient, incisaient les corps de par le monde pour en fouiller les secrets. Et, d'une petite voix, il avait osé une question sans rapport.

Les Anglais ont-ils de grands poètes ?

Je ne peux vous répondre. Je ne lis que les Anglais qui écrivent en latin. Or les poètes doivent s'exprimer dans leur langue propre.

Hamon était capable d'entrer dans la peau d'un autre jusqu'au moment où sa foi s'affolait et l'en expulsait sans détours.

Le vingtième jour, Jean décide enfin de montrer son ode à ses amis puis à son cousin. Il scrute les visages sans crainte, il connaît son talent. On l'applaudit grassement. Et quand François rentre enfin à Paris, Jean lui annonce fièrement que son ode sera publiée.

Alors tu es lancé !

C'est la première fois qu'il le tutoie. Jean se demande si cet accès de familiarité est une condescendance jalouse ou un débordement d'affection. Il ne tranche pas, sourit à pleines dents, invite François à célébrer la nouvelle avec lui.

Son ode lui rapporte un début de considération. Jean a vingt et un ans. Chaque matin au réveil, il savoure cette esquisse de statut, se repaît du mot même. Les yeux fermés, il voit se dessiner au fond d'un brouillard épais son buste, sa tête, de temps en temps une figure en pied, flanquée d'un long manteau qui bat de chaque côté. Dans son demi-sommeil, il ajoute à l'image le chant des mouettes qui monte depuis la Seine. Ses journées commencent au rythme des foulées de cette silhouette qui fend l'anonymat. Enfin.

Il partage son bonheur avec ses camarades de cabaret, discute avec eux du meilleur genre à adopter pour s'établir. La Fontaine avoue qu'il n'a jamais su choisir et qu'il va sans cesse d'un genre à l'autre, tantôt conte, tantôt nouvelle ou fable. Boileau dit que le chantier du roi a démarré à Versailles, que ce sera un haut lieu de spectacle et de divertissement. Que le théâtre est la façon la plus sûre d'en être, qu'on peut toutefois hésiter entre la tragédie et la comédie. Jean écoute, avide. Tous les arguments l'intéressent. Les voies se démultiplient à vue d'œil, et pourtant il bute chaque fois contre cette tonalité qui commence à gagner ses vers, un son grave et galant. Il doute qu'il puisse jamais servir dans une comédie. François lui répond qu'avec son talent, il peut s'atteler à tout ce qu'il veut.

Regardez Molière, plus triste et grave que lui, il n'y a pas, et pourtant il fait d'excellentes comédies.

Vous me le présenterez ? demande Jean.

Bien sûr. Nous le croiserons certainement un de ces soirs. On ne peut pas le rater, il ne boit que du lait.

Du lait ?

Il est très malade. Et puis comme ça au moins, on le reconnaît où qu'il soit.

Jean hésite entre la compassion, l'intimidation et un soupçon de mépris. Que Molière vive comme un nourrisson le peine et l'impressionne, que son verre de lait soit un signe aussi ostentatoire qu'une coiffure lui confirme que le talent n'exclut pas la fatuité.

Mais les soirs passent et il ne rencontre pas Molière. Ses nuits sont aussi laborieuses que ses jours, non parce qu'il écrit mais parce qu'il tisse ses réseaux. C'est un travail à part entière, songe-t-il, et qui n'est pas à la portée de tous. Il faut savoir se montrer, plaire, parler à bon escient. C'est si simple de faire un faux pas. Si ses amis sont habiles, ils ont aussi des frères fortunés, aux affaires, ou des alliés de taille. Lui, non. Il a, bien sûr, son cousin à qui il doit sa publication, mais ce n'est qu'un cousin qui lui-même a un frère. Jean passera toujours après. Il ne pourra jamais relâcher sa vigilance et son effort, il lui faudra écrire, se placer, créer, se montrer, occuper tous les terrains, ne compter sur personne. Il apprend à parler de lui en public, ce qu'il est, ce qu'il a fait, ce qu'il compte faire. Sous le regard complice de sa bande, il ajuste, rectifie, affine ses poses. Après y avoir longuement réfléchi seul et avec les autres, il renonce pour un temps à l'humilité, essaie l'arrogance : la suffisance attrape les gens comme du miel et le regard altier qu'on porte sur ses propres affaires contamine celui que les autres portent sur vous. Ils en ressortent plus contents d'eux, plus fiers. Leur gratitude est le début de leur amour. La modestie ne paie pas. Parfois, il surprend une messe basse, un quolibet qui épingle la manière dont il tourne le dos à tout ce qu'on lui a appris, son ambition, son ingratitude.

Jalousie ! tranche La Fontaine. Pure Jalousie.

L'été suivant, Jean part pour Uzès. Il est criblé de dettes, a dépensé tout ce qu'il avait en habits et en boissons, et plus encore. Son cousin l'avait prévenu. Il n'aura peut-être plus d'autre choix que de bénéficier d'un bien de l'Église et de devenir prêtre. Il pourrait l'être sans renoncer à sa vie, à la façon d'un François, mais il craint que ses scrupules à lui ne soient plus tenaces.

Il n'a jamais eu si chaud. Pour la première fois, il sent sa peau à cause de la sueur, il voit les blés jaunir jusqu'à l'or. Certaines après-midi, cette blondeur prend la blancheur du métal. Il s'en plaint dans ses lettres à ses amis, mais au fond, il découvre des sensations nouvelles, intenses, qui l'amèneront peut-être à mieux comprendre encore les textes qui ont été écrits dans la fournaise de Rome et d'Athènes. Les tragédies d'Eschyle et de Sophocle ne vont ni avec la pluie ni avec le froid.

Il ne pense pas pour autant à aller voir la mer. Il se contente de l'imaginer au loin qui l'unit à la Grèce et à l'Italie. Dans ses lettres, il raconte le chant des cigales qui écrase tous les autres sons, y compris celui de sa propre voix lorsqu'il se relit. Cette rumeur constante plaque sur les alentours comme un toit de tôle, tant et si bien que lorsqu'il compose, il doit creuser un nouvel espace dans cette chape, développer une oreille plus sensible à la vibration des syllabes. Au fil des jours, il constate que sa langue s'est scindée : il y a celle des lettres, parisienne, galante, pleine de civilités et de charmes, et une autre. C'est une langue allongée, un liquide plus clair, où les voyelles s'étirent, gagnent sans cesse sur le martèlement des consonnes. Celle qu'il entend dans la bouche des gens du pays et qu'il comprend grâce à ce qu'il sait d'espagnol et d'italien. Il signale à La Fontaine l'avantage de ne pas faire tomber tous les *e* muets dans un vers, la musique que crée l'alternance entre les séquences vocaliques et consonantiques et qu'il n'a jamais perçue plus nettement, *coule, coule, vole, vole, songe, songe*... Les *e* muets sont une merveille ! s'enflamme-t-il. La Fontaine approuve, l'encourage, mais quand la torpeur et les cigales le prennent en étau, Jean panique. Ce n'est pas seulement un style qu'il faut forger, mais une voix, surtout quand on est loin de Paris, perdu au milieu des blés, oublié.

À la nuit tombée, il part se promener. Il s'enthousiasme devant les oliviers, cueille des olives, les goûte. Les arbres qu'il aimait autrefois ne donnaient pas de fruits. C'est une manne amère en bouche. Il décrit le vert argenté, le ciselage délicat des feuilles, l'émotion que lui cause de vivre parmi les mêmes arbres que Virgile ou Sophocle. « Vous auriez pu dire notre Seigneur Jésus », lui rétorque sa tante. Jean n'y a même pas pensé. « Alors c'est donc vrai que vous avez choisi la poésie contre Dieu ? » lui écrit-elle encore. Le vallon s'efface peu à peu. À cause de tous les paysages qu'il côtoie, de la nouvelle résidence royale qui commence à s'établir à Versailles, dont les uns et les autres lui vantent la grandeur inouïe. Comme sa langue, l'espace se scinde aussi : d'un côté, il y a Dieu, l'abbaye, la nuit, et de l'autre, le roi, la poésie, la lumière.

À Uzès, la charge qu'on lui a confiée l'oblige à conduire des travaux et à commander à des maçons, des menuisiers, des vitriers. Il s'étonne de savoir le faire. Il ne peut pas dire qu'il aime ça mais il apprécie l'autorité qu'il en tire, le sentiment d'être établi et adapté au reste du monde alors que les vers le forcent à choisir les mots plutôt que les choses. Pourtant dès qu'il est sur un chantier, à parler poutres et fenêtres, il n'a qu'une hâte, retrouver la chambre fraîche, les murs épais, le frottement de la plume sur le papier, les mots plutôt que les choses. Il enchaîne les compositions sur la beauté des femmes du Sud mais les fréquente peu, invente des noms à partir de ceux qu'il entend dans les villages, rédige des lettres exaltées où il compare son exil à celui d'Ovide. Mais sa vie de loup parisien lui manque. Il rêve de cabarets, de courants d'air, et de pénombre parce que tout ce soleil l'accable. Ses amis, François en particulier, ne lui répondent plus que rarement. La Fontaine semble occupé ailleurs. Seul Boileau se manifeste avec régularité, constance, pour l'entretenir de ce qui se passe sur les scènes de théâtre où il n'est plus question que de Molière, de Boyer et de Corneille.

Un matin, il décide qu'aller voir la mer le distraira. Il galope longtemps, le regard fixé sur l'horizon.

C'est un drapé bleu et vert qui se soulève de part en part, une nappe qu'on a dressée sur les confins pour que les hommes circulent, voyagent, se rapprochent, s'éloignent, ou se perdent. Comme Ulysse. Plus que les forêts, les plaines, les vallées, la mer le rend sensible à l'idée de bords. Les histoires ne sont jamais plus belles, se dit-il, que lorsqu'elles se tendent d'un bord à l'autre, lorsque les mers séparent. Les océans permettent d'imaginer des dénouements où l'on s'échoue, chacun de son côté, sur des bords opposés. Les anciens le savaient. Il n'est aucune élégie ni tragédie sans les mers. C'est une chose de le lire, une autre de le sentir. Autrefois il ne visualisait l'élégie qu'en fonction des fleuves et des rivières, selon une pente, un écoulement, un courant dynamique. À présent, c'est aussi une étendue plane qui sépare de ce que l'on désire, une masse qui engloutit ce que l'on perd, un regard qui pleure l'autre bord sans pouvoir le rejoindre.

Il y consacre beaucoup de vers, jusqu'à ce qu'il s'entende dire dans une lettre de Boileau qu'il vire au creux. Cet ami-là est d'une intransigeance qui a le tranchant de celle de ses maîtres sans en avoir la cruauté. Et pour cause, de ses strophes ne ressort que sa vieille conception de l'élégie, cette impression de fixer le poème sur un plan incliné, pour qu'il s'écoule à perte. Or il faut plusieurs voix pour raconter une séparation, lui dit Boileau, qu'il appelle désormais « mon cher Nicolas », avec des personnages bien distincts, des changements de registre, comme ont dû le lui apprendre Homère et Quintilien.

Quelques jours plus tard, dans une auberge, il entend parler d'une jeune fille qui s'est empoisonnée parce qu'enceinte, elle redoutait la colère de son père. C'est une histoire locale où il sent pourtant battre la pulsation des drames antiques. Il s'avère que la morte n'était pas enceinte. Uzès a du bon, écrit-il à ses amis, c'est une ville de passions. Quoi de plus favorable à l'écriture d'une tragédie ? C'est son nouveau projet. On lui suggère l'histoire d'Œdipe. Il relit ses Grecs. Le temps passe plus vite. Il se plonge aussi dans les œuvres du siècle, les trouve pleines de faits et d'événements inutiles, se jure de faire plus fort et plus simple.

Va pour Œdipe. Il rédige d'abord chaque scène en prose, pèse, soupèse les équilibres, les distances, explore le champ de l'action dramatique en physicien, arbitre entre les forces. Il laisse reposer quelques heures, part se promener, revient, resserre ici et là. Il trouve l'opération difficile, plus corsée que tout ce qu'il a jamais composé, et rêve du moment où il n'aura plus qu'à mettre en vers et à retrouver le confort de l'habitude. Il n'aura qu'à trier son vocabulaire, ses figures, comme il fait depuis des années alors que régler les actions des personnages, relier deux scènes, c'est autre chose. Chaque soir, il pense qu'il va enfin se mettre à versifier le lendemain, mais au matin, il corrige un élément qui l'oblige à tout reprendre. Aucun de ses amis ne peut vraiment l'aider car c'est un genre qu'il est le premier à essayer. Il demande quand même à La Fontaine s'il fait bien de réserver le grand affrontement de Jocaste et de ses fils pour le quatrième acte ou s'il vient trop tard. Ce dernier lui répond qu'il devrait l'avancer. Il y réfléchit pendant deux jours mais maintient son choix pour deux raisons : le public sera ainsi mieux tenu en haleine ; il ne veut pas charger son action de nouvelles péripéties.

Contre l'habitude qu'il a prise d'échanger sur tout, il retrouve soudain la puissante solitude de l'abbaye. Il entasse les lettres qu'il reçoit, ne les ouvre pas.

Son plan s'améliore. Il l'étale sur sa table comme un architecte, le réexamine morceau par morceau, et voyant que sa main tentée encore d'amender n'amende plus, il considère qu'il est solide. Il bondit de son siège, s'écrie que sa tragédie est faite. Il n'en revient pas, arpente la pièce pour se calmer. À ceux qui considèrent le théâtre comme une activité légère, galante, il pourra répondre désormais qu'il ne s'est jamais senti plus à la peine, qu'une pièce n'a rien à voir avec une ode, que c'est du gros œuvre que de disposer les scènes et les actes. Tenir son plan déclenche en lui un assaut de virilité qui le pousse à passer la nuit suivante entre les bras d'une paysanne et à conclure la lettre qu'il écrit à La Fontaine dès l'aube par : « Et nous avons des nuits plus belles que vos jours. » Si, en plus, l'alexandrin lui vient aussi facilement, ce ne devrait plus être bien long. Il s'enferme, cisèle ses vers avec le sentiment renouvelé que le plus dur est derrière lui. À l'état désastreux de ses finances que lui rappelle son cousin, il répond par la confiance, la promesse qu'il honorera tous ses efforts par une solide carrière d'homme de lettres. La terre sèche d'Uzès aura raffermi le sol sous ses pieds. Il y aura touché du doigt le ressort de l'action dans une pièce et dans la vie. Il doit absolument revenir à Paris.

Jean retrouve l'hôtel de Luynes, ses cousins, le petit marquis, rentré lui aussi. Grand et élancé, on dit de lui qu'il fera un excellent soldat. Il s'adresse à Jean sans trace de ressentiment. Il fait une ou deux tentatives pour évoquer le passé, mais Jean se contente de sourire et change de sujet. Quand il le voit partir le soir rejoindre son cercle de lettrés, le marquis lève un peu le menton :

On m'a dit que vous aviez écrit une tragédie, mais je serais vous, je n'oublierais pas que le roi est malade.

Jean reconnaît immédiatement cette hauteur de ton avec laquelle il lui a toujours parlé, même lorsqu'ils conversaient comme deux nigauds sous la lune. Il se raidit mais se contient.

J'y penserai, répond-il.

Je vous présenterai ma femme, lui lance le marquis, promis à une alliance prestigieuse.

Jean se contente de hocher la tête quand il brûle de lui répondre : « Et moi, je vous ferai lire ma pièce. »

François fait découvrir à Jean un nouveau rond, plus grand, plus prometteur encore que celui de l'hôtel de Luynes. Il y rencontre des anciens de l'abbaye. On y évoque les menaces royales, les réactions de défense, l'avenir incertain. Jean éprouve un pincement au cœur quand il pense à sa tante, mais la vivacité des conversations repousse l'inquiétude. Il arrive parfois épuisé au cabaret et s'affale sur la table en confiant à ses amis que l'art de la conversation le pompe autant que la composition.

Le maître du nouveau lieu, marquis de Liancourt, possède de nombreuses toiles de peintres italiens et propose à ses invités de les regarder. Les premiers temps, Jean se crispe parce qu'il n'a rien à dire. Il n'a jamais vu autant de formes et de couleurs peintes, ne sait où donner de la tête. Toutes ces figurations excèdent son vocabulaire bien qu'enfant, il ait eu à cœur de penser que la langue était comme la peinture. Mais ses visions d'alors étaient austères, limitées. Si les paysages d'Uzès les ont légèrement augmentées, ils ne lui ont pas permis de voir plus que quelques contrastes fondamentaux, des aplats jaunes, bleus, sans nuances. Il ne peut cependant pas prendre le risque de rester plus longtemps silencieux devant les toiles et doit apprendre à deviser sur la peinture comme sur le reste. Alors il demande au marquis des visites particulières, pour une ode qu'il est en train de composer, précise-t-il. Sa demande est aussitôt acceptée.

Il va lentement d'un tableau à l'autre, se sent comme surveillé par les visages peints, découvre la vigilance majestueuse qui se dégage d'un portrait. Il s'arrête longuement devant une scène de Véronèse remplie de personnages : A regarde B qui regarde C qui regarde D, note-t-il plus tard dans ses cahiers. Il saisit là un mouvement qui lui plaît, mécanique et complexe comme les décalages du désir, se dit qu'il pourra désormais parler peinture comme on parle théâtre.

Il continue à travailler sa tragédie, y introduit de nouvelles nuances jusqu'à ce qu'au salon on lui commande expressément de s'atteler à une nouvelle tâche : célébrer la convalescence du roi. Ayant manqué la naissance du dauphin à cause de son exil, il ne peut se permettre de laisser filer cette occasion. Débrouillez-vous comme vous voulez, lui ordonne son cousin, mais votre avenir en dépend. Jean délaisse sa pièce, les cabarets, compose plus de cent vers en octosyllabes. Il n'a guère perdu la main, il sait où chercher, il compulse, il copie Malherbe, qu'importe, le jeu en vaut la chandelle. Il pousse même le zèle jusqu'à se trouver un accès personnel au sujet, quelque chose qui l'émeuve intimement. Il pense à l'âge du roi, presque le sien, l'envisage comme un jeune homme qui pourrait simplement mourir. La perspective est suffisamment pathétique. Quinze jours plus tard, il est prêt. Son ode est sans génie mais elle est efficace, estime La Fontaine. Et, dès le mois suivant, il entre sur la liste des hommes de lettres qui œuvrent pour la gloire du roi de France : en échange, il recevra six cents livres par an.

Jean est soulagé. S'il ne fait pas d'excès, il pourra vivre correctement avec une telle somme, sans plus dépendre de personne. Il fête l'événement avec ses cousins, ses amis, propose même à Molière, qu'il rencontre enfin, de boire autre chose que du lait. Le vin qu'il verse dans son pot rougeoie comme le sang d'une fraternité nouvelle. Il n'ose pas lui demander le montant de sa pension à lui mais il apprend que celle de Corneille s'élève à deux mille livres annuelles. Ses amis se moquent de la grimace qui vient tordre son sourire.

Sa situation l'engage à ne pas relâcher son effort et à composer hommage sur hommage. Trois mois plus tard, il présente une allégorie qui détaille toutes les qualités du souverain et qui lui vaut d'assister à son lever dans le château de Saint-Germain-en-Laye.

Dieu ne lui a jamais causé pareille émotion. Il scrute chaque geste qu'il aperçoit à travers la forêt de têtes qui le précèdent, tend l'oreille vers chaque frottement d'étoffe, le moindre murmure. Des phrases lui viennent, des éloges, des pensées. Il songe au petit marquis qui baisserait peut-être enfin le menton s'il le voyait ici, à sa tante qui, méchamment, dissiperait l'illusion. Le roi prie, s'habille, se fait peigner, boit un bouillon comme n'importe quel homme, et pourtant Jean est envoûté. Il ne voit pas un homme agir ou se comporter, il voit une nation se constituer sous les regards. Il reconsidère l'âge du roi, le regarde comme son presque jumeau, celui aux côtés duquel il doit pousser et s'élever. De cette nation, il sera la langue.

Au milieu des dizaines de gens, le roi ne le distingue pas et n'adresse son compliment qu'à Molière. Le lendemain, celui-ci lui confie tout le mal qu'il s'est donné pour s'attirer les grâces royales et ne cache pas son ressentiment, l'aigreur qu'il cherche à noyer dans ses gorgées de lait, sa vraie maladie. La comédie rend plus amer que la tragédie. En quittant le cabaret, Jean est plus décidé que jamais à reprendre la sienne.

Vous m'aiderez à mener mon projet? demande-t-il à Nicolas.

Vous n'avez pas besoin de moi. Vous êtes la discipline même.

Mais Jean a besoin de lui. Ensemble, ils s'en vont courir les théâtres. L'ambition de Jean galvanise la placidité de Nicolas. La plupart du temps, personne d'autre ne se joint à eux, si bien que Jean est encore obligé de constater que la vie lui a effectivement donné un nouvel ami. Ils voient beaucoup de comédies. Jean trouve celles de Molière supérieures aux autres par leur vérité et leur naturel, mais toutes ces cascades d'événements l'ennuient et le fatiguent. Alors il se concentre sur la salle, le public. Les gens rient à gorge déployée, sans pudeur ni retenue. Selon Nicolas, le public des tragédies est évidemment plus distingué à cause des références et de la culture requises, de la langue aussi, cette emphase fermée, cette concentration que demande l'alexandrin, même celui d'un Quinault. Ils retrouvent certaines personnes d'affiche en affiche, finissent par les saluer. C'est une période féconde où Jean a l'impression d'amasser un matériau précieux, des sensations, des opinions, qui lui serviront à consolider son projet. Un soir pourtant, il sort d'une représentation de Corneille plus sombre et plus pensif.

Je ne vois vraiment pas ce qui vous chagrine autant, dit Nicolas. Vous êtes jeune, il est vieux, tout est possible.

Jean ne le sait pas lui-même, si ce n'est qu'il a encore tout à prouver, que seulement trois théâtres se partagent un monopole, qu'une tragédie ne se donne jamais plus de vingt fois, qu'une affiche chasse l'autre, qu'il faut jouer serré et qu'il est si facile d'échouer.

Dans ce cas, écrivez des comédies !

Ma langue ne s'y prête pas.

Vous pouvez la travailler dans ce sens.

Le travail ne fait pas tout.

Jean ajoute qu'il ne veut pas finir comme Molière, en bouffon amer. Ce qu'il aime dans la tragédie, c'est justement la restriction, la clôture, et quand il prononce ce mot, il s'arrête un instant, pincé par le souvenir.

Vous imaginez une pièce signée de moi qui ferait rire les gens aux éclats ?

Non, mais regardez Molière. C'est un homme parfaitement sinistre qui écrit des choses drôles.

Écoutez ça : *Elle trahit mes soins, mes bontés, ma tendresse, Et cependant je l'aime après ce lâche tour, Jusqu'à ne me pouvoir passer de cet amour… Jusqu'à ne me pouvoir passer de cet amour…* Ce n'est pas si drôle ?

Il ne pourra plus écrire autre chose que des comédies, je vous dis que c'est trop tard.

De toute façon, moi, je n'ai pas le choix.

Il revient sur cette éducation stricte et silencieuse, ces heures solitaires dont Nicolas n'a pas idée, cette nature sans fleurs. Il évite cette fois le mot clôture, parle d'une fermeture qui favorise des états de langue qu'on ne rencontre pas dans la comédie.

Des états de langue ? Vous parlez comme un chimiste.

Oui, c'est exactement cela, il me semble que la tragédie place la langue sous l'action d'une chaleur intense, capable d'en transformer la nature.

Et il sent cette chaleur qui s'infiltre, lui monte à la tête, l'effet du vin, du cabaret. La suite de ses pensées, il la garde pour lui. Seules les émotions tristes qu'on crée chez les autres vous attirent leur véritable respect. Pas les rires dans une salle. Devant lui, Nicolas s'est endormi.

Les frères Corneille l'obsèdent au point de penser que c'est pour cela qu'il a mis des frères au cœur de sa première pièce, parce qu'il rêve de fendre cette fratrie comme une pierre. Le grand auteur des deux, c'est Pierre, pas Thomas. Quoi que Jean fasse, où qu'il soit, le nom revient comme une référence, celle qu'il faudra supplanter. Après tout, se dit-il, Sophocle a écrit contre Eschyle, Pascal contre Montaigne, les grands auteurs sont toujours pris dans des duels. Mais comme on ne s'attaque bien qu'à ce que l'on connaît, il fait comme on lui a appris, il dissèque l'œuvre de Corneille.

Il commence un nouveau cahier, note des vers, des répliques entières. Il dresse des colonnes de mots, fait des relevés, des plans, constate que Corneille a du mal à respecter la règle des trois unités, qu'il déborde toujours, prend des libertés. Il y a quelque chose de lâche dans son système, malgré la géométrie qu'il met en place, ce goût pour la symétrie, ce besoin d'indiquer toujours deux voies, un gain, une perte, et de finir par tout égaliser, par revenir au point de départ. C'est pour cela qu'il aime tant l'antithèse, se dit Jean, mais chez Corneille, elle reste une figure sans âme et sans profondeur. Il fait part de ses observations à Nicolas, qui ne comprend pas où il veut en venir. Après lui avoir donné plusieurs exemples, il conclut :

On a besoin de l'antithèse parce qu'on a besoin de la symétrie, mais moi, je rêve d'une antithèse cruciale, qui dirait le cœur des hommes, pas seulement le choix qu'ils doivent faire à un moment donné, mais la croix qui les traverse, le conflit, leur nature profonde.

Vous renouez avec les idées sombres, répond Nicolas. Mais je vous l'accorde, les amours de Corneille sont trop glorieuses.

Il n'attend pas qu'on le comprenne, seulement qu'on lui oppose un mur, une résistance contre laquelle fourbir ses armes et préciser ses idéaux. Y compris sur l'amour. Que peut-il en dire, lui qui n'a connu que celui de Dieu et encore ? Pourra-t-il construire des intrigues sur un sentiment qu'il n'a fait que lire ? Des pièces entières quand aucune vie ne repose entièrement dessus, quand aucun homme n'y accorde autant d'importance ? Ni lui ni aucun de ses amis, ni roi ni prince. Mais à force, comme Virgile ou Ovide, il a pris le pli, la pente d'un amour central. Nicolas lui assure que ses lectures devraient suffire, Jean l'approuve tout en songeant que quelques sensations réelles feraient peut-être la différence, que ce soit lui qui les éprouve ou qu'il les observe chez un autre.

Voudriez-vous que je vous aide en tombant amoureux ? se moque Nicolas.

Dans son cahier, Jean note que les vers de Corneille sont chevillés ou, au contraire, hachés. Alors il les récrit, se persuade que tous les exercices lui profiteront. De temps en temps, cependant, il s'incline, ne touche à rien, inscrit en marge son admiration. S'il parvenait à faire de Corneille un simple aîné, il s'épargnerait bien des jalousies et des désagréments. Il a grandi aux côtés de maîtres qui l'ont façonné, modelé, mais il se rappelle aussi tous les moments où il a brûlé de les évincer. Et depuis qu'il a quitté l'abbaye, il y a clairement lui et les autres, son ambition, d'une part, et de l'autre, tous ses rivaux.

Un soir, François leur propose d'aller voir une pièce dont il connaît l'actrice principale. Jean la regarde évoluer sur scène en pensant qu'il pourra l'approcher, peut-être même la toucher après la représentation. Et pendant qu'elle déclame, il l'imagine en train d'apprendre une tirade de lui, d'ingérer ses alexandrins comme n'importe quelle autre substance et les rendre, tout nimbés de chair et d'émotion. Au dernier acte, un rêve le saisit : assister à ce phénomène, commander l'ingestion, moduler la restitution.

Dans sa loge, la jeune femme est très entourée. Jean se contente de la dévisager, d'écouter les galanteries qui fusent, d'observer la virtuosité que François déploie pour se distinguer. Puis sans un mot, il avance son bras, touche celui de l'actrice. Elle lève les yeux, sourit. Et, tandis qu'il la fixe, elle se trouble, cherche ses mots. Si je peux la faire bégayer, se dit-il, alors je pourrai la faire déclamer.

Il se remet à sa pièce avec acharnement, y décèle trop de mouvements d'épée, les rengaine, retranche deux cents vers. Entre la composition et la séduction, il devine des analogies : un seul geste, un seul silence, peut avoir sur une action plus d'effet que cent gesticulations. Le beau visage de l'actrice traverse souvent son esprit. Il resserre encore son plan parce que la règle des trois unités vaut pour lui évangile. Aristote connaissait ce dont il parlait : un théâtre qui veut être l'âme d'une nation doit lui-même faire la preuve de sa rigueur. Corneille déborde constamment, surtout dans *Le Cid*, comme un enfant ou pire, un incontinent. Jean veut être celui qui tracera des lignes claires, nettes, implacables, des frontières, une carte sur un territoire.

Il revoit l'actrice d'abord avec ses amis, puis seul. Tandis qu'elle est dans ses bras, il en prend la mesure, constate qu'elle est plus menue que prévu. Il n'empêche, elle a de la grâce et du coffre. Il imagine un circuit absurde entre son oreille, dans laquelle il soufflerait ses vers, et sa bouche, qui les ferait vibrer. Il lui parle de sa pièce, elle l'aidera. Son ambition s'enroule au corps de cette femme et confond en lui les sensations que lui cause la perspective d'un avenir glorieux et d'une nuit de plaisir. Il ne les démêle pas.

Sa tante a eu vent, bien sûr, de ses nouvelles fréquentations. Parfois, il se demande comment les bruits arrivent si vite jusqu'au vallon tout en sachant que les salons grouillent de complaisants. Elle invoque l'enfer, la damnation. Elle prie et pleure. Cette façon de s'en faire pour le salut des autres agace Jean au plus haut point. Il lui répond sans ménagement : « Contentez-vous de régler les rangs dans l'au-delà mais n'allez surtout pas vous mêler d'ici-bas. Parce que vous avez quitté ce monde-ci depuis longtemps », ajoute-t-il, conscient que lui y habite pleinement, qu'il y met les mains, les pieds, la bouche, copieusement. Elle n'a même pas idée de ce qu'il vit, de ce qu'il rattrape. Il faut aller dans la vie pour écrire la vie sous peine de n'écrire que des traités de poésie appliquée. Comme Nicolas.

Sa méthode paie : sa pièce sera jouée sur la scène de l'Hôtel de Bourgogne, le saint des saints. Il n'ose même pas imaginer l'affliction de sa tante quand elle l'apprendra. Il savoure sa joie, éprouve pour celle qui a intrigué en sa faveur une gratitude poignante. Elle s'est octroyé le rôle d'Antigone, vante son génie, mais chaque fois qu'il la quitte, il sait qu'elle ira dans d'autres bras, se donner à d'autres hommes, d'autres auteurs à qui elle dira ce qu'ils aiment entendre. Ce n'est qu'une comédienne. La jalousie le pince, la chair n'aime pas partager. De la même façon qu'il veut construire sa gloire, il doit développer une capacité d'emprise sur les esprits et les corps qui la servent. Il travaille avec la troupe, instruit les répétitions, gronde ses ordres. Mais il est jeune, sans expérience, et se laisse influencer par les réclamations des uns et des autres. Il leur soumet chaque acte un à un, repart avec d'énormes corrections à faire et parfois le sentiment d'écrire sous leur dictée.

On retarde une première fois la création de sa pièce, à cause de tous ces ajustements qu'il doit faire. Arrivé au cinquième acte, il est particulièrement fier de ses stances, celles qu'il a composées pour sa belle Antigone. Elle les déclame avec solennité et, bien que ses vers reprennent largement un lieu commun, il s'émeut. Mais le surlendemain, on lui fait savoir que les stances sont passées de mode, qu'il doit y renoncer. Il s'exécute, n'en garde que trois, les autres lui serviront une autre fois. Malgré sa docilité, on retarde encore la création de sa pièce. Il se désespère auprès de l'actrice, la cajole comme jamais, mais elle invoque la tyrannie des comédiens, dit qu'elle, pauvre femme, n'y peut rien. Jean se plaint auprès de François, Nicolas, lesquels l'exhortent à la patience, mais, au fil des jours, Jean devine les intrigues et les cabales qui se trament contre lui, s'en ouvre à Molière qui lui confirme que les frères Corneille ne supportent pas la concurrence. Et puis, ajoute-t-il, vous êtes un enfant de Port-Royal, ça énerve. Ce dernier argument achève de le convaincre : sa pièce sera jouée au Palais-Royal, tant pis pour l'Hôtel de Bourgogne. Ses amis se récrient, la troupe de Molière n'est qu'une troupe comique, mais il persiste : l'important n'est pas d'être joué dans le bon théâtre mais d'être joué, quoi qu'il arrive. Chaque chose en son temps.

Son travail avec les comédiens reprend. Ceux-là sont moins arrogants que les premiers alors il n'hésite pas à désosser ses tirades devant eux, à leur montrer comment les jouer. Il approfondit le plaisir d'agir sur une conscience, d'être celui qui règle une intonation, une émotion, une mine, au millimètre. Chaque soir quand il rentre, il a envie d'être déjà au lendemain pour recommencer à malaxer l'âme des comédiens, la pétrir, comme ses maîtres ont pu faire, comme on dit que Dieu fait. Cela ne ressemble à rien de ce qu'il a connu : sur la scène, tandis qu'il suit les comédiens à la trace, les entoure, les talonne, c'est comme s'il glissait dans leur corps des tranches d'âme neuves, modifiées. Homme, femme, prince, suivante, tous, il les pénètre.

Quand vient le jour de la première représentation, ses amis sont là, ses cousins, le petit marquis, mais il lui semble aussi reconnaître d'autres visages, ceux de Hamon, d'Agnès, de Le Maître, mine altière, regard acéré. Quand la salle applaudit, leurs mains à eux ne bougent pas mais leurs cils battent plus vite. Il s'approche, sa vision se dissipe. Il n'a jamais été si heureux.

Sa *Thébaïde* n'a aucun succès. La salle ne se remplit chaque fois qu'à moitié. Molière renforce l'affiche, fait des pieds et des mains pour vendre Jean comme le futur Corneille, l'empêcher de regretter d'avoir quitté l'Hôtel de Bourgogne. Mais Jean sombre dans l'abattement. Il ne sort plus, n'écrit plus, refuse les visites. Il se contente de lire sur son lit les lettres de sa tante, de plus en plus féroces. Il songe même à aller la voir. Le visage bistre s'approchera de la grille du parloir avec cet air de malédiction entendu, cette affliction devant laquelle il ne pourra que confesser son arrogance, sa morgue sans retenue, sa misérable vanité, mais aussitôt qu'il parlera, lui reviendront la peau laiteuse des comédiennes, leur fard, leurs gorges ouvertes. Alors sa pénitence débouchera sur un silence coupable et mensonger. Inutile d'y aller donc, se dit Jean, qui, avec les années, a pris l'habitude de ne s'infliger que ce qui peut adoucir sa peine. Il chasse le visage de sa tante, le quadrillage du parloir, et s'imagine en train de marcher lentement dans le parc, entre les allées de buis et les heures de travail. Enfant, chacune de ses foulées déclenchait le désir de pousser vers le ciel, de devenir un arbre plus haut et plus puissant que les autres. Sur son lit, ses pieds, ses jambes, le bout de ses doigts recommencent à bouger, comme si la sève de Port-Royal coulait de nouveau en lui. Il n'a même pas besoin d'y aller tant il la sent qui coule. Alors il quitte sa prostration, se remet à raisonner : sans flatterie ni actualité, comment sa pièce aurait-elle pu triompher? Il se moque de sa propre naïveté, prend des paris. La prochaine sera en parfaite adéquation avec la gloire du roi. La prochaine et toutes les suivantes.

Molière ne lui parle plus que recettes, affiches, nombre de spectateurs. Le théâtre est aussi un commerce parmi les autres, se dit Jean, qui n'y voit plus aucune contingence mais un gage de réalité. Molière n'est-il pas la preuve vivante que le succès doit au moins autant au talent qu'à l'acharnement? Celui-ci a besoin d'une tragédie pour sa troupe, et, bien qu'elle ait été retirée de l'affiche, il obtient des mois plus tard de jouer *La Thébaïde* devant la cour à Fontainebleau. Jean exulte. Malgré ses maigres revenus, il ne lésine pas sur ses habits. Il se fait faire ce qu'il y a de plus beau. Il traverse les semaines suivantes avec insouciance et, quand arrive le grand jour, il sent percer dans sa chair les arêtes d'un marbre qui pousse.

Dans la salle, il doit se pincer plusieurs fois : le roi de France est en train d'écouter ses alexandrins. Jean regarde ailleurs, mesure l'ampleur et le faste du lieu, le nouvel étang dans le parc, les lumières qui donneraient de la majesté à n'importe quelle bouffonnerie, se répète que c'est sa pièce à lui qui est jouée ici, devant la cour de France. Mais ses yeux reviennent sans arrêt palper le corps du roi. Quand il sourit, on ne sait si c'est de satisfaction ou de dédain. Jean aime cette incertitude. Une nation ne doit pas se déchiffrer aisément, murmure-t-il à l'oreille de Nicolas.

Après la pièce, Molière le présente. Jean s'entend dire, très bas, le front renversé, je serai votre voix, sire. Cette fois au moins, le roi l'a vu. Peut-être l'a-t-il même entendu. Il lui adresse un sourire furtif. Les choses arrivent, pense Jean, lentement, mais elles arrivent.

À quelques jours de là, Molière obtient la publication de sa *Thébaïde*. Rien n'est plus pareil quand il tient l'ouvrage entre ses mains, voit son nom imprimé. Il l'emporte au cabaret, lève son verre, trinque allègrement. Le long regard qu'il échange avec Nicolas jette un pont au-dessus de tous les autres. Dans le brouhaha, il évoque le héros qu'il a choisi pour sa deuxième pièce. Avec le personnage d'Alexandre le Grand, il mettra toutes les chances de son côté. En dix ans, Alexandre parcourt et conquiert l'univers, fonde soixante-dix villes. Il parle grec, a pour précepteur Aristote, a lu tout Homère.

S'il revenait parmi nous, dit Jean, nous pourrions converser avec lui, le comprendre et être compris de lui.

N'en faites pas un pur galant, l'avertit Nicolas.

Jean aime sentir chez son ami cette pointe de paternalisme qui le tance pour mieux masquer la grandeur de la mission qu'il lui assigne. Tous les hommes auxquels il s'est attaché jusque-là le toisaient du haut de la foi ou de la naissance, malgré l'admiration qu'ils lui portaient, ou à cause d'elle. Ils gardaient toujours auprès d'eux une raison impérieuse de lui en vouloir, de le rabaisser. Pas Nicolas. Jour après jour, il n'est question que de son talent, de sa supériorité de poète, de sa gloire.

Son héros sera un modèle pour le jeune roi. Qui plus est, le sujet est libre. Comme d'habitude, Jean se plonge dans les textes anciens, mais une nouvelle liberté galvanise le bout de ses doigts : il glane ce qui lui sied, transforme les faits. Il invente même une reine. Il n'éprouve plus la même déférence envers les auteurs, il est avec eux de plain-pied, comme un égal. Puis il dresse des plans, bâtit une action qu'il veut aussi simple que possible, en répartit la charge et le poids tout au long des actes. Un amour central, des rivalités de princes, des trahisons, et surtout, de la clémence. Il s'embarrasse d'autant moins des batailles et des faits militaires que le jeune roi n'a encore livré aucune guerre. Des critiques de Nicolas, il ne garde que ce qui peut le faire avancer. Son ami le regarde quelquefois sans rien dire, stupéfait par sa volonté de fer. Alors pour le piquer, il épingle son penchant excessif pour la galanterie, mais Jean réplique qu'il faut ce qu'il faut, qu'il ne s'inquiète pas, il verra ce qu'il verra. Mais au-delà de ces tautologies de salon, Jean éprouve d'autres sensations lorsqu'il compose; parfois, entre les paquets de vers galants qui lui viennent ensemble, la mécanique ralentit et laisse arriver un alexandrin plus singulier, plus libre, tête nue dans le vent.

Mon âme loin de vous languira solitaire.

Il déclame son vers en boucle, enchanté et surpris, comme s'il était écrit par un autre. De ces surgissements, il ne parle jamais, même à Nicolas. Il ne dit pas non plus qu'à cette idée d'amour central, il accorde une importance qui va bien au-delà de la mode. Et s'il ne le dit pas, c'est parce que les mots lui manquent encore, qu'il n'en a ni le culot ni l'habitude, juste l'intuition. C'est un système nerveux, une question de regard, pense-t-il, sur la façon qu'on a de considérer les hommes dans l'amour, de placer l'influx, de comprendre ce qui les fait réellement agir. Et, un matin, seul face à ses grands cahiers, il esquisse un schéma où il discerne trois niveaux.

D'abord, le socle.

Port-Royal lui a inoculé une vision de l'âme aussi noire que la nuit, sans espoir de salut ni de grâce, et que, depuis tant d'années, il cherche à ensevelir sous le poids des affaires et des jours pour se rendre la vie plus agréable. Mais elle est là, comme une ombre amalgamée, où se superposent le visage de sa tante, le corps maigre de Hamon, jusqu'à la silhouette du petit marquis sous la lune.

À l'étage du dessus, toutes ses lectures se penchent, et c'est la figure de Didon qui se détache, ployée sur sa plainte. Malgré Homère, malgré les galants, l'amour ronge le cœur des hommes et ne leur procure qu'un bonheur illusoire.

Et au-dessus, se dit-il, qu'y a-t-il encore au-dessus ?

Et c'est comme privé de toute parole articulée qu'il gesticule devant Nicolas et qu'il essaie de lui expliquer, rarement, seulement tard dans la nuit quand il a trop bu. Il essaie de lui dire ce qu'il ressent, ce qu'il cherche, les idées sombres qui le commandent, le poussent, tambourinent sans qu'il les conçoive avec clarté. Alors, comme il reste sans voix, la plupart du temps, il finit par soupirer :

Comment écrire sur ce qu'on n'a jamais vécu ?

Un auteur digne de ce nom n'a pas ce genre de scrupule, lui répond Nicolas. Depuis quand la poésie se nourrit-elle de la vie ?

Jean acquiesce. Et, provisoirement rassuré, il voit son édifice à trois étages qui s'éloigne tel un vaisseau vers le large, sans pourtant réussir à détacher son regard de ce troisième niveau obscur et vide, ce qu'il traduit sur le papier par un long rectangle blanc.

Cependant il suit les conseils de son ami, achève son *Alexandre* en chassant toute idée de système central et en se conformant aux usages. *Tant d'États, tant de Mers qui vont nous désunir, Ne me laisseront que l'envie de périr… Me priveront de votre souvenir…* Il corrige : *M'effaceront bientôt de votre souvenir.* Ce sont des images, rien que des images, se répète-t-il. Des images parfois plus tristes et plus majestueuses que celles des autres, un point, c'est tout.

Il rode ses actes dans les salons, les ruelles, enchaîne les lectures soir après soir. Dès qu'il commence, il constate que les regards se figent, les conversations se suspendent, comme si, en déclamant, il déroulait une toile tendue, hypnotique.

En fait, j'ai compris, lui explique Nicolas, vous avez le don de la cérémonie.

La troupe de Molière engrange d'excellentes recettes pendant quatre jours d'affilée. Jean est là qui compte les têtes, scrute les visages, sourit, mais, dès le premier soir, pourtant, il éprouve une gêne. Dans la bouche des comédiens, ses vers tournent comme des formules de pure convention, plates et sans volume alors qu'il a besoin de coffres solides, de voix bordées par les cris et les sanglots, comme celles du barreau. Nicolas est d'accord pour dire que le naturel ne paie pas, mais, comme toujours, il lui enjoint la patience et la gratitude vis-à-vis de Molière. Le deuxième soir, il reconnaît Corneille à la sortie du théâtre. Il s'approche, balbutiant, intimidé comme il n'aurait jamais cru l'être. Il décèle pourtant sous la morgue du vieil auteur l'excitation craintive des animaux menacés. Et pour cause, tout ce qu'il veut, c'est être à sa place. À toute heure du jour, il l'envie, jusque dans des rêves desquels il sort bataillant, désavoué, en nage. Dans le brouhaha du théâtre, il croit l'entendre dire qu'il est plus doué pour la poésie que pour l'action. Son vieux menton a tremblé quand il l'a dit, mais juste au-dessus, ses yeux gardaient leurs années d'avance. Même incertaine, cette sentence ne quitte plus Jean. Tous les jours qui suivent, les mots de Corneille s'enroulent autour de ses gestes, de ses pensées, chargés d'un risque possible. Et, comme au contact de toutes les menaces, Jean se sent à la fois vulnérable et résolu.

Quelques jours plus tard, à la surprise de tous, la troupe de l'Hôtel de Bourgogne joue son *Alexandre* devant le roi. Cette fois, celui-ci le dévisage de la tête aux pieds. Le regard qu'ils échangent valide une correspondance, celle d'un corps avec son reflet. Jean éprouve une sensation brûlante au bas des reins. À la question de savoir s'il a eu raison ou tort d'intriguer contre Molière, il connaît la réponse, malgré la désapprobation de Nicolas qui lui rappelle que les recettes du Palais-Royal s'effondrent de soir en soir. Jean trinque de plus belle, inaccessible à tout ce qui pourrait mitiger sa joie. Il ne se rend plus au théâtre de Molière, refuse même d'imaginer ses vers massacrés devant une salle à moitié vide. Il n'a qu'une hâte : que les recettes tombent si bas que la troupe cesse définitivement de jouer sa pièce. Son nom acquiert une autorité, un pouvoir d'intimidation, accru par son sens de la trahison.

En êtes-vous convaincu maintenant ? demande Jean à Nicolas. Le roi avait besoin pour se reconnaître d'un tragédien virtuose.

Manifestement.

La tragédie ne s'accommode pas du naturel.

Vous qui aimiez tant ce naturel chez Molière…

Il a ses limites.

Celles du roi ?

Non, celles de la cérémonie. C'est vous qui me l'avez dit.

Nicolas insiste pour intercéder en sa faveur auprès de Molière, mais Jean n'espère aucun pardon. De toute façon, il a pris l'habitude des malédictions retentissantes. Nicolas le met en garde contre les hostilités groupées, l'alliance possible de Corneille et Molière, sans compter qu'il entend dire ici et là qu'il pousserait un peu trop l'amour devant. Son *Alexandre* ne serait qu'un amoureux gavé de vers, suave et doucereux, qu'il n'a pas réussi à armer. Ce reproche dépasse la violence des coteries, pique sa virilité. Alors il enchaîne les nuits d'amour. Dans les bras des femmes, il cherche à se convaincre, à s'inoculer une sorte de poison, de drogue, à s'équiper d'un nerf nouveau, mais il a beau faire, sa volonté ne lui donne accès à rien. Chaque fois sa chair est saisie, chaque fois elle oublie, se désarme, lâche sa proie sans amertume ni regret. Jean continue à se demander quelle est la nature du rapport entre la poésie et la vie.

Doit-on sentir pour écrire ou l'inverse ?

Vous êtes sensible à des nuances sans intérêt ! s'emporte Nicolas. Vous commencez à avoir l'esprit jésuite !

Trois silhouettes, deux hommes et une femme, déambulent. Autour d'eux s'agite une foule innombrable. Jean marche au rythme des deux hommes tandis que la femme chancelle. Jean lui prend le bras et la reconnaît. C'est la reine de son enfance, la douloureuse, la scandaleuse Didon. On la vitupère de toutes parts. Elle a peut-être les traits d'Agnès lorsqu'elle était plus jeune et qu'elle collait son front sur le sien. Il dévisage les deux hommes : Molière et Corneille. Ils sont vieux, fatigués, rongés par un mal visible. La reine mugit plus qu'elle ne parle. Son corps est lourd, son regard aveugle. Elle s'allonge sur un lit et pleure. Ses pleurs sont plus clairs que ses mots. Ils s'écoulent distinctement, en rythme, avec des scansions, quelques accélérations. Les deux vieux auteurs se détournent d'elle tandis que Jean s'assoit à son chevet. *Et pallida morte futura*. La reine dit qu'elle a perdu quelque chose. Elle parle de son amour pour Énée, de son envie de mourir. Rien dans sa plainte n'est doucereux, au contraire. Jean n'a jamais entendu un son aussi caverneux, aussi puissant. Au matin, toutes les silhouettes se sont évanouies mais l'air est encore tout vibrant de sanglots.

Dans les jours qui suivent, Jean ferme les yeux en plein milieu d'une conversation, se concentre pour rattraper quelques bribes de cette agonie cadencée. Ce son grave et merveilleux, surtout ne pas le laisser s'envoler, rester à son chevet.

La publication d'*Alexandre* déclenche les foudres de Port-Royal. Le nom de Jean n'est jamais prononcé et pourtant tout le vise. On l'accuse même d'homicide spirituel. Chaque fois que les nouvelles lui parviennent, il déglutit longuement, le regard serré contre les côtes qu'on lui arrache de part et d'autre. Heureusement, son fidèle cousin le couvre quand les menaces brandissent l'excommunication pure et simple. La seule chose qui le calme, c'est de constater que l'intransigeance dont il fait l'objet est la même que ce qui pousse l'abbaye à refuser tout accommodement avec le roi et le pape, qu'elle ne lui est pas réservée. Ils finiront par en crever, se dit-il. Alors l'ingratitude revient le mordre, aussitôt recouverte par cet éblouissement qui miroite désormais au fronton de ses journées. Comment parler de la gloire sans être du côté des ambitieux et des vaniteux ? Comment expliquer cette exaltation à l'idée qu'un jour, il ne soit plus seulement un homme mais un nom ? Un nom vaste comme une nation. Comme Homère, comme Virgile. Parfois, à la nuit tombée, Jean est épuisé par cette ronde d'éclipses qui commence dès l'aube, cette alternance d'anneaux, où il doit faire entrer toute son âme et qui n'ont jamais le même diamètre, tantôt larges, confortables, tantôt étroits, jusqu'à l'étranglement. Tantôt clairs, tantôt obscurs. La gloire, l'ingratitude, la gloire, l'ingratitude, la gloire, *ad nauseam*...

Du Parc, Du Parc, Du Parc.

Il répète son nom en boucle parce qu'il en aime cette consonance masculine et dure qui vient lutter avec son sourire, sa grâce. Elle est là, galante, charmante, disponible, c'est une comédienne en vue. La nouvelle gloire de Jean lui donne envie de l'écouter et de jouer ses pièces. Jean ne résiste pas.

C'est d'abord un charme léger, mais au bout de quelques jours, Jean se réveille la nuit. Ce n'est ni pour écrire ni pour lire mais parce que son ventre le lance, que toutes ses pensées semblent s'y jeter comme dans une mer et aussitôt s'y durcir comme les pierres. Il met la main sur son estomac, appuie, n'éprouve aucun soulagement. Dans le noir, il se relève, arpente sa chambre et se demande ce qu'elle fait, si elle est seule ou dans le lit d'un autre, s'il n'est pas en train de devenir fou, idiot. Le matin, il se précipite chez elle, lui pose ses questions inquiètes, se désole de la bousculer de si bonne heure, finit par lui dire qu'il exagère et qu'il l'aime en la serrant contre lui. Mais dès la nuit suivante, il recommence. Il ne sait si c'est à cause de sa réputation de séductrice ou de ce raidissement très ténu qu'il sent chez elle quand il l'étreint. Elle s'abandonne contre lui, presse ses seins sur son torse, lui offre ses lèvres, et pourtant, dans cet afflux de gestes et d'élans, il perçoit une minuscule réserve, la possibilité qu'elle s'arrache à lui pour toujours. Quand il ose lui en parler et qu'elle le rassure pleinement, il se sent honteux, admet que ses intuitions ne sont que conjurations puisqu'on a toujours peur de perdre ce que l'on aime.

Mais qui vous parle de perte ? se récrie-t-elle en riant.

Et, dans ce rire, il constate qu'elle a du plaisir à le voir souffrir, douter, cette manière qu'elle a, dès qu'ils se retrouvent, d'agiter la perspective de ses absences comme on taquine un chat. Il s'enferme dans une boucle où la morale n'entre plus, dont l'alternance n'est réglée que par la question de savoir si elle aura le même plaisir à le voir que lui, si elle le désirera autant que lui. L'égalité devient une obsession, une quête insatiable, le cap de toutes ses journées. Il se surprend à regarder sa plume au lieu de s'en servir, rêvasse, griffonne un billet, se lève, se hérisse à l'idée d'attendre trop longtemps une réponse, s'habille, part la rejoindre, se ravise. Il manque de temps pour ses amis, en oublie même par moments l'existence du roi, au grand dam de Nicolas, qui n'entend rien à ses nouvelles plaintes. On ne peut combler l'absence, on peut seulement agiter ses mains dans l'air et ne rien palper que la chair de ses propres doigts, dit Jean en regardant les siens. Les pensées ont des mains pour se pousser, se courser entre elles; l'esprit est sujet à des gesticulations, à des mouvements désordonnés qu'il voudrait plus stratèges afin de ne pas soumettre son cœur à l'affolement, mais c'est devenu un animal sauvage qui se cabre aux injonctions de la raison. Nicolas parfois s'inquiète, ose modérer son enthousiasme pour Du Parc, mais Jean réplique aussitôt qu'elle a des grâces inouïes, un charme, une qualité de peau. Nicolas s'interrompt, le laisse continuer mais Jean n'arrive même plus à reprendre le fil de son discours. Une vision se glisse, un geste, une attitude, un décor, le souvenir d'une chose qu'elle a dite. Il n'avoue pas que son esprit s'enfonce ainsi plusieurs fois par jour dans des ténèbres, des conjectures, des paris, où il ne sera pas le préféré, où il sera évincé, parce qu'elle ne voudra plus le voir, qu'elle n'aura jamais cet empressement qu'il sent battre dans ses veines, etc. À force de souffrir autant, il se met à lui en vouloir, à souhaiter qu'elle meure plutôt qu'elle ne lui échappe, ou qu'elle tombe affreusement malade, prise dans des griffes comme il l'est dans les siennes. La bienveillance n'est qu'une chimère au regard de cette tenaille qui le tient tout entier. Ce que l'on nomme amour n'est ni doux ni tendre, rien n'en est proche comme la haine, soupire-t-il. Il n'a rien entendu de plus bête que ces gens qui, par amour, disent vouloir le bonheur de ceux qu'ils aiment. C'est une maladie dont je souffre, ajoute-t-il. Nicolas hoche la tête avec pitié.

Il travaille avec elle sur sa nouvelle pièce, lui fait reprendre dix fois, vingt fois le même vers sans qu'elle ne lui adresse jamais le moindre reproche, pas même un regard agacé. Si elle l'aimait, elle ne supporterait pas un tel manque d'égards. Il s'emporte, incrimine son indifférence. Elle se récrie pour la énième fois, dit que cela n'a rien à voir avec l'amour, que c'est du travail, qu'il fera d'elle la plus grande parce qu'il est le plus grand. Il se laisse griser par cette symétrie, le couple magnifique qu'ils forment, le grand auteur et son actrice. Après chaque séance, il récrit ses vers, s'immerge dans le tout petit morceau de Virgile qui les lui a inspirés, malaxe sa traduction pendant plusieurs heures, avant de les lui faire parvenir par billet spécial. *L'amour n'est pas un feu qu'on renferme en une âme. Tout nous trahit, la voix, le silence, les yeux…* Elle lui répond qu'elle n'a jamais rien lu d'aussi beau.

Avec le temps, ils s'affichent en public, dans les salons, les rues de la ville où Jean se rengorge parce qu'il a à son bras une femme convoitée, qu'on murmure ici et là qu'à lui, elle est peut-être enfin fidèle.

À Pâques, Du Parc quitte la troupe de Molière pour celle de l'Hôtel de Bourgogne. Pour jouer *sa* tragédie. Jean est fou de joie. Ainsi prend-il conscience que l'existence peut se vivre à deux niveaux : à la surface ou en profondeur. Il suffit d'un succès, d'une vanité. On peut choisir de ne se situer que dans les couches superficielles qui certes n'empêchent ni la souffrance ni l'échec mais qui protègent contre le pire. Il a du mal à nommer ce pire avec précision mais il le met dans sa pièce, l'y jette, selon les jours, comme une masse ou un fluide, se dit qu'avant lui, personne ne l'a mis de cette façon. De temps en temps, elle lui fait observer que l'autre femme, Hermione, serait plus belle et grande à jouer mais il n'en démord pas, elle sera Andromaque.

Mais pourquoi ? insiste-t-elle. Elle ne dit presque rien…

Parce que l'autre demande quelque chose que tu n'as pas.

Ah oui ? Et de quoi s'agit-il ? Tu doutes de mon talent ?

Non, ton talent n'a rien à voir avec ça. Malheureusement, tu n'as pas encore traversé ce qu'elle traverse.

Tu te trompes.

Prouve-le-moi.

Jean est malhonnête et il le sait. L'actrice qui jouera Hermione ne sera guère plus armée mais il fait feu de tout bois, il ne la comble pas, l'oblige à mendier. Alors elle déploie toutes les caresses qu'elle connaît, mais quand ils ont fini de se prendre et qu'il l'entend, après un soupir, retrouver sa voix enjouée, il se relève, se rajuste et se contente de lui dire d'un air cassant :

Contente-toi de donner à la vertu de mon Andromaque quelques nuances de gris, ce sera déjà bien ! C'est une manipulatrice et une tueuse d'enfant. Au beau milieu de ses pleurs, je veux qu'on entende les coups de couteau.

Et là encore, tandis que Du Parc le regarde avec perplexité, il doute qu'elle comprenne toute la violence dont il est capable, dont tout le monde est capable.

De toute façon, ton Hermione n'est qu'une grande fille hautaine et mal élevée ! Qui en voudrait ? cingle-t-elle.

Lors d'une répétition, ils reviennent inlassablement sur deux hémistiches qu'elle n'arrive pas à dire comme Jean aimerait.

Qu'ici plutôt qu'ailleurs le sort m'eût exilée… Qu'heureux dans son malheur, tu entends ? *Qu'heureux dans son malheur*, appuie, mets-y de la voix, qu'on l'entende, qu'on voie comment la pure Andromaque trahit elle aussi, comment personne n'échappe à la trahison, comment elle est prête à tomber dans les bras de l'ennemi…

Mais c'est à cause de tes alexandrins ! Ils masquent toutes les nuances.

Tant mieux, ils sont faits pour ça ! À toi de te faufiler dedans et d'en faire ressortir le sens !

Je voudrais t'y voir.

Mais, Madame, c'est vous la grande tragédienne. La plus grande de toutes, n'est-ce pas ? Allez, reprends…

Elle inspire, s'applique, mais il grimace encore, fronce le nez.

Écoute, si ça peut t'aider, pense qu'à la fin, quand Pyrrhus sera mort, elle avouera à Hermione qu'elle ne lui était pas indifférente. Ce brûleur de villes, cet ennemi juré, eh bien, oui, elle l'aime ! Dès à présent, je veux l'entendre, ce revirement, ne me donne pas une Andromaque trop blanche, souille-la un peu.

Mais c'est impossible…

Je te dis qu'elle est séduite, qu'Andromaque aime Pyrrhus. Que l'amour se glisse n'importe où, corrompt toutes les puretés.

Et comment le sais-tu ?

Jean a vu dans ses yeux briller la perplexité, la peur, se demander quel était le véritable enjeu de toutes ces répétitions. Dans les minutes qui suivent, elle se reprend, dose plus justement, commence à fouiller les vers plus en profondeur, à faire sonner les notes qui s'y cachent. Elle transpire, déploie trop de gestes, or Jean déteste les gestes. Si elle lève une main, il s'approche, l'attrape violemment, bloque son mouvement. Pour la énième fois, il dit que tout est dans la respiration, la diction, que la tragédie ne montre pas des êtres ordinaires mais des héros, que toutes ces gesticulations qui font la vie des hommes sont inutiles. Il rêve d'un corps pur, dense, qui serait capable de se mouvoir pleinement, en rythme et sans gestes.

Si tu jouais Hermione, tu en ferais une épileptique, conclut-il.

Le roi veut conquérir la Flandre. Il fait passer le contingent militaire de cinquante à quatre-vingt-deux mille hommes et le place sous le commandement de Condé. Il ne va pas encore au front mais c'est imminent. Jean a parfois du mal à imaginer que ce jeune homme qui danse et prise la poésie se couvre un jour de boue et de sang. Après tout, se dit-il, chacun son théâtre d'opérations. Si nous progressons ensemble, mes pièces seront jouées partout tandis qu'il conquerra de nouveaux pays. Et tandis que je régnerai sur les esprits, il sera le maître des corps. Jean pourrait se sentir désavantagé par une telle répartition, mais c'est tout le contraire : le parallèle fouette ses idées à si grands coups qu'il ne détaille pas, ne pinaille pas, uniquement porté par la symétrie, l'équivalence des actions du roi et les siennes.

Je ferai couler les larmes et lui le sang, confie-t-il à Du Parc.

Elle sourit, s'approche, s'offre sans réserve ni dérision. La modestie ne paie pas, pense-t-il.

Partout on parle de cette nouveauté qu'est *Andromaque*, ce ton, cette majesté, ces personnages profonds, ce leurre de génie qui consiste à faire passer Andromaque et Pyrrhus pour les héros tandis que la scène ne vibre que sous les coups d'Hermione et d'Oreste. On loue le lamento d'Andromaque, la constance de son amour; on commence à parler d'une langue singulière. Nicolas lui rapporte aussi des propos plus mitigés : on n'a jamais vu une amoureuse aussi mauvaise que son Hermione, un esprit aussi malade qu'Oreste. Tout de même, deux grands héros traités comme des misérables.

Et pourtant, les gens sont émus, n'est-ce pas? s'agace Jean.

Oui, répond Nicolas, les femmes en particulier. On dit même qu'il y aurait une femme en vous.

Tant mieux. C'est la preuve que son troisième étage est désormais habité, que Didon ne s'y égare plus seule, qu'une autre silhouette y va et vient, un peu la sienne, un peu autre. Il sait que dans son théâtre infusent désormais ses lectures, ses modèles, ses ambitions mais surtout de la chair, de la vraie chair humaine, blessée, comblée, impatiente.

Mais Jean n'en dit rien. Il se contente de remercier Nicolas pour ce soutien constant qu'il lui apporte, et continue à se cacher de lui quand il est miné, rongé par l'idée qu'elle est avec un autre, qu'elle ne viendra pas, qu'elle lui mentira encore et encore. Il fait dire n'importe quoi, qu'il est souffrant, nauséeux, migraineux. Il ne veut voir personne qu'elle mais elle ne vient pas. Rien ne le calme, ni Ovide, ni Sénèque, ni les gazettes où on encense ses alexandrins. À quoi lui sert d'être glorieux s'il est malheureux ? De plus en plus souvent, il voudrait que les caresses qui ne sont pas pour lui, elle n'ait plus ni bras ni jambes pour les donner à d'autres, cette traînée, cette fille de rien. Ses pensées frottent un linge rêche sur sa peau. Il a réussi à montrer sur scène ce harcèlement de l'âme qui fulmine, qui fait déclamer comme on se dénude. L'amour peut mener à la folie, il en est sûr, au dérangement total de l'esprit, l'hallucination, des milliers de serpents qui sifflent sur la tête, comme le dit Oreste. Il aperçoit cette extrémité comme une chose possible, un cap perdu dans les brumes, lointain mais prochain, dans la droite ligne de ces malaises qui l'étreignent cent fois par jour. Et il suffit d'entrevoir pour comprendre et envisager, se dit-il, non pas traverser de part en part, seulement entrevoir, sentir le début de la morsure.

Chaque fois qu'il voit son Hermione s'effondrer à la fin de l'acte IV, il se demande s'il aura le courage dans une future pièce de bâtir son action autrement, sans s'embarrasser de leurres, en en faisant son personnage principal, une amoureuse rugissante et dépoitraillée qui ne se réjouit même pas d'être vengée, pour qui la gloire n'est qu'un vieux vêtement usé jusqu'à la trame par les héroïnes de Corneille. Après tout, pour l'instant, ce n'est pas si mal, se dit Jean, à cause du regard digne et piqué que sa maîtresse lui lance tous les soirs en sortant de scène, une corde qu'il n'attrape pas, parce qu'elle se rend bien compte que le grand numéro d'actrice, c'est Hermione qui l'a, pas Andromaque, qu'elle attend qu'il le lui donne et comprend qu'il ne le lui donnera pas.

Un mois après la création de la pièce devant la cour, l'acteur qui jouait Oreste meurt d'un accident cardiaque. C'est un homme de plus de soixante ans, gros et gras, qui certes s'époumone en scène depuis plus de trente ans mais à qui jamais aucun auteur n'avait fait endosser pareille folie. Partout se répand la nouvelle que ce sont les fureurs d'Oreste qui l'ont tué. Jean s'afflige et se rengorge. Il va la voir et, sans prendre le temps ni de la tendresse ni de la compassion, il se jette sur elle avec une violence qui lui fait sentir qu'il pourrait la déchirer. Il n'entend ni ses protestations ni ses râles, la retourne pour ne plus voir son beau visage. Il préfère la pilonner de dos ; à chaque coup, il va plus loin, meurtrit ses chairs comme elle meurtrit son cœur, sourit en humant cette odeur de sang, ce pouvoir qu'il est désormais le seul à avoir : faire crever un comédien. Mieux, une comédienne.

Sa pièce profite du drame. Plus de trente représentations s'enchaînent. Nicolas claironne partout que 1668 est l'année d'*Andromaque*, si bien que Molière ne résiste pas au plaisir d'en faire jouer sur son théâtre une parodie qui exagère les agissements de ses personnages, leurs passions, les fait parler à coups de vers pompeux et confus. C'est de bonne guerre, pense Jean, plus contrarié par un mot nouveau qui commence à fleurir dans les gazettes à son sujet, son galimatias. On l'accuse de multiplier les équivoques, d'entraver la compréhension et la pureté de la langue française. Et Nicolas de lui lire des pronoms relatifs aux antécédents flous, des adjectifs possessifs incertains, des verbes mal construits. Jean hoche la tête, argumente, plaide pour sa syntaxe, défend sa clarté tout en sachant qu'en matière de langue, Nicolas est la rigueur même.

Je crois que je rêve d'une langue plus pure, avoue Jean.

L'ampleur du succès modifie sa maîtresse. Elle ne le fait plus attendre, n'annule aucun rendez-vous, le regarde désormais sans cette hauteur, avec l'humilité du consentement permanent. Pendant quelques semaines, il goûte la saveur d'une harmonie totale et abandonne de nouveau Didon à la solitude de son troisième étage. Un matin, Du Parc lui annonce sa grossesse. Il se penche, lui baise le ventre comme le plat d'une main qui viendrait épouser tous les manques. Le soir, tandis qu'elle dort près de lui, il fixe l'obscurité d'un œil hébété, se demande s'il retrouvera jamais la pente de l'élégie tant ses pieds semblent à présent fouler une terre égale, où tout se cale, où rien ne coule, ne s'éboule. Les pages d'Ovide et de Sophocle n'y changent rien. Il ne s'acharne pas, décide d'écrire une comédie. Sa réputation n'y fera que gagner en plasticité, comme celle de Corneille, de tous ceux que la frontière des genres n'effraie pas. Un grand poète doit savoir tout écrire, sans compter qu'il doit montrer à Molière, après cette parodie perfide qu'il a fait écrire contre lui, qu'il peut aller sur son terrain. Il emprunte à Aristophane, à la farce. Mais curieusement, un sentiment de malaise le prend parfois, comme s'il travaillait *a cappella*, sans support et sans filet. Alors il quitte sa table, va la retrouver, hume sa peau, enfonce son visage dans sa gorge, se repaît de cette créature doublement vivante. Il pourrait, pour ainsi dire, cesser d'écrire, se contenter d'être un bourgeois, un homme comme les autres, jusqu'à la seconde annonce qu'elle lui fait quelques semaines plus tard : elle ne gardera pas l'enfant. Devant ce qui tombe en chimères, il ne réplique pas, il s'incline, l'assure de son soutien.

Jean attend chez lui, inquiet, fixé sur l'image de ses draps où il l'a tenue pleine et blanche, où il la retrouvera souillée, vidée comme une volaille. Les heures passent. Elle lui a dit que ce pourrait être long, qu'il ne devait pas venir avant d'y être autorisé. Le lendemain soir, on vient lui apprendre que Du Parc n'a pas survécu. Une chaleur monte dans ses jambes, enflamme ses hanches, ses côtes. En une seconde, il devient une carcasse d'os et de bois qui flambe.

Sa douleur trouve des biais, des ruses, le persuade qu'il a rêvé, qu'il va bientôt la retrouver ou, pire, que, de toute façon, il n'a vraiment connu avec elle que quelques semaines de bonheur contre de très longs mois de malheur. Certains matins, il n'a plus de visage, mais une plaie qui saigne et pleure jusqu'au soir. Quand il a réussi à dormir, il ouvre les yeux comme on vomit, repris par le dégoût des jours sans elle. Entre ses paupières bouffies s'étirent les fils d'une lumière crue, importune, trop blanche, dont il repousse l'intrusion en refermant aussitôt les yeux ou en laissant couler ses larmes. Seul le travail bride sa peine, enserre son esprit suffisamment fort pour qu'il n'aille ni se souvenir ni regretter. Devant les autres, il se tient, camoufle sa tristesse, sauf avec Nicolas, à qui il avoue un soir qu'il est comme une terre dévastée.

Malgré votre succès, malgré votre gloire ?

Malgré.

Pour se consoler, Jean instruit des comparaisons. Il se répète, par exemple, que l'errance de Didon est encore plus douloureuse que la sienne : quand la mort emporte celle que vous aimez, elle a beau vous l'enlever, elle ne vous enlève rien d'autre, tandis que l'abandon pur et simple vous retire tout d'un coup en jetant sur le tout premier serment la lumière noire du mensonge. C'est pathétique, mais il ne trouve rien d'autre : comparer sa douleur à celle d'une héroïne, soupeser les deux souffrances, passer par la fiction pour supporter la réalité. Il revient donc au chant IV de l'*Énéide* comme on se blottit dans un vieux manteau. S'il avait su… S'il avait su, enfant, que l'excitation et la peur qu'il éprouvait chaque fois qu'il ouvrait le livre lui seraient un jour des consolations, il se serait senti moins coupable devant ses maîtres, mais qu'auraient dit ses maîtres de cette déréliction sans Dieu, de toute cette détresse à cause d'une pécheresse ? Sans doute le savait-il. Sans doute avait-il senti très tôt que la plainte de Didon recevait en lui un écho favorable, jumeau, qu'il était profondément de son côté. Il mouline ses évaluations tout le jour, ventile son esprit et son cœur mais ne fixe rien. S'il parvenait pourtant à mettre des mots à lui sur cette souffrance, il fabriquerait son antidote, saurait y revenir chaque fois que nécessaire, chaque fois que le chagrin viendrait le lancer, celui-ci ou un autre. Son antidote et celui du monde entier. Écrire la tragédie de l'amour trahi, la tristesse pure de l'abandon, la suffocation, n'écrire que cela, cinq actes durant, oui, se dit Jean, rien d'autre que cette suffocation, et ainsi dépasser Virgile.

Le roi a enfin autorisé le *Tartuffe* de Molière. Jean ne peut manquer pareil événement. Chagrin ou pas, ajoute Nicolas. Chaque geste qu'il fait en s'apprêtant, chaque ruban qu'il noue lui rappelle qu'elle ne montera pas sur scène et qu'il est en train de se faire beau pour d'autres. La vie est ainsi faite, se dit Jean, qu'on puisse pleurer tout le jour et le soir, se rendre au théâtre. Il y croise Corneille, Quinault, sourit, baise des mains, hume de nouvelles peaux, de nouveaux parfums. Il trouve même l'audace de complimenter Molière. Toute cette émulation l'amuse et le réconforte. Si seulement il était le centre de la fête, le plus vénéré, il aurait de quoi panser ses plaies. Nicolas lui dit qu'il ne tient qu'à lui. Alors, dès le lendemain, il cherche une histoire romaine, diffère son projet sur l'abandon, se met au défi de faire coup double : se distraire et battre Corneille sur son terrain. Mais avec ce qu'il trouve, il élabore un concentré de cruauté et de souffrance, compose des amoureux qui aiment jusqu'aux pleurs qu'ils font couler. À la folie d'aimer s'ajoute le plaisir d'amenuiser. Sans doute a-t-il encore besoin d'adosser sa souffrance à un mur de colère et de reproches, de la revoir comme elle était, infidèle, menteuse, pour réduire l'absence, le manque. Mille fois, il a eu envie de la tuer. Lui, l'ancien enfant du vallon, féru de grec et de latin, à genoux dans la terre pour observer les prémices de la vie, tout juste bon à braver l'autorité de ses maîtres et à s'en remettre à la grâce divine la plupart du temps, il aurait pu étrangler cette femme volage qui ne lui rendait pas tout ce dont il provisionnait leur amour. Il n'est aucun homme qui ne soit un monstre, se répète Jean chaque fois qu'il se couche. Ce n'est pas la foi qui le lui a appris mais le théâtre à coup sûr, les longs méandres qu'il trace autour de ses personnages, leurs volte-face, leurs ruses, leurs délits. Les fictions ne sont pas des égarements car nous sommes constitués de langage et d'action et nous avons besoin des deux, n'en déplaise à Port-Royal. Pourquoi les hommes auraient-ils sinon depuis l'origine composé des histoires ? Cette idée le rassure, donne une nécessité à ce qu'il fait au moins aussi grande que celle que donne la prière.

Il termine sa pièce à la fin de l'automne, impatient de la créer et de rincer ce qui lui reste de chagrin dans les grandes eaux de la gloire. Malgré les intrigues et les efforts de ses proches, cette fois, il n'obtient pas qu'elle soit jouée devant la cour. Qui plus est, le jour de sa création, une exécution capitale lui vole la vedette. Jean fulmine. Il crie çà et là, qu'on me donne au moins son nom, mais personne ne parvient à lui nommer le condamné. Dans les coulisses du théâtre, tandis que les acteurs vont et viennent, Jean les regarde avec pitié en admettant que ni son talent ni leurs efforts ne rivaliseront jamais avec cette action primitive qui se déroule à quelques encablures, tuer un homme dans le froid.

Dès le premier acte, le parterre s'agite comme une houle bruyante qui avale des tirades entières, les engloutit dans son vacarme jusqu'à faire de sa tragédie une pantomime outrancière. Et au-dessus de la foule, seul dans une loge vide, la vieille silhouette est là qui veille, orchestre les applaudissements, les sifflets, Corneille venu regarder de près comment on s'attaquait à Rome, son monopole. Jean n'a d'yeux que pour lui, ses grimaces, sa bouche qui se tord, ses sourcils, les signes qu'il envoie aux jeunes gens du parterre pour qu'ils gloussent.

Dès le lendemain, les reproches pleuvent. On épingle ses anachronismes, la naïveté de son Britannicus qui n'a rien d'un héros glorieux, sans compter, une fois de plus, la pauvreté de son action. Jean est ulcéré. Il tempête devant Nicolas, fourbit ses arguments, défend Néron plus que Britannicus. Que veulent-ils à la fin ? Qu'il mette des hommes ivres sur le plateau ? Qu'il les fasse hurler, s'entre-tuer ? Lui, ce qu'il aime, c'est faire des pièces bâties sur des actions simples, sans coups de théâtre ni machinerie, rendre ce froid qui transit l'âme et la conduit au massacre. Des tragédies sur presque rien pour qu'on écoute chaque tirade comme la seule, la dernière, et qu'à son théâtre on soit comme à la messe ou devant un condamné à mort, nu sous le ciel.

Jean se laisse tomber dans un fauteuil. Il est las d'être cerné de tous ces fantômes, ses maîtres, sa tante, d'un côté, sa maîtresse infidèle et morte, et, partout, depuis ses débuts, Corneille par-ci, Corneille par-là, cette cible mouvante et trapue qui se déplace de pièce en pièce dans un duel interminable et lui confisque l'honneur d'être le plus grand poète du pays.

Mais calmez-vous, lui dit Nicolas, on dit aussi que le roi, depuis votre Britannicus, aurait décidé de ne plus danser dans les ballets de cour.

Pourquoi ?

Je n'en sais rien. On invoque ses migraines, mais moi, je l'entends qui vous dit : Je suis un souverain grave et guerrier, comme ceux que vous peignez ? Comment puis-je donc danser désormais ?

Le front de Jean se lisse. Sa mâchoire se desserre. Il sourit.

La nuit suivante, il rêve de Hamon dans le parc. À côté du visage sec et gris, les boules de buis ont l'éclat des fleurs sauvages. Ils se regardent comme deux créatures étrangères l'une à l'autre, dont la mémoire incrédule n'ose pas totalement réveiller le souvenir familier. Mais personne ne toise plus personne. Au réveil, Jean est à peine troublé. Il consulte les gazettes, ses livres de comptes, apprend que sa pension a encore augmenté, son patrimoine avec, se réjouit que son Hermione soit reprise par une jeune comédienne très en vogue.

Sitôt le rideau tombé, il demande à Nicolas de rentrer sans lui.

Il sait maintenant les illusions qui couvent sous le nom d'amour mais aussi les sensations agréables qu'elles transportent, l'allure que prend la vie dans ce vent de printemps. Comme ses héros, Jean est enclin aux crises, à la fièvre, aux pics. Il ne sait plus vivre les longues durées, ces intervalles qu'il regarde, à cause de l'amour et de la gloire qui ne supportent que les accélérations, comme des temps morts. Mais les temps morts n'existent pas, se dit-il, le temps coule, remodèle, transforme : j'ai aimé une femme, elle est morte, j'en aimerai une autre, là devant moi, et qui vivra. Le temps a coulé dans mon âme sans que je m'en aperçoive. C'est un sang incolore et régénérant. Mais l'idée de ce temps qui supplanterait tout effort de la volonté humaine l'incommode. Il y aurait donc les hommes et leurs passions, et à côté, comme un tiers constant et salvateur, il y aurait le long serpent du temps ? Les vingt-quatre heures de la tragédie heureusement sauvent ses personnages de toute cette fadeur. Il s'avance vers l'actrice, fend la foule des galants, lui déclare qu'elle a joué son Hermione exactement comme il l'a conçue.

Marie est si jeune, si fraîche, avec sa voix d'or, cette gravité rauque qui jaillit quand on ne l'attend pas, une aubaine pour ses vers. Grâce à elle, il se met à mieux entendre chaque inflexion, chaque intonation, à collecter dans la rue, au cabaret, un nouveau matériau, tous les sons de l'âme humaine, pour qu'à son tour elle les produise. Qu'il s'agisse de ses pièces anciennes ou de celle qu'il vient de commencer, il exige une diction différente, au ras des sentiments comme ses vers parfois rasent la prose. Sans emphase.

Vous avez bien vu que le naturel peut aisément tourner au vulgaire, explique Nicolas. Avec l'emphase au moins, vous chassez la menace.

Je voudrais quelque chose entre les deux, une tonalité plus sourde.

Pensez-vous vraiment qu'elle existe dans nos théâtres ?

Quand je l'écris, je l'entends. C'est la preuve qu'elle existe.

Marie comprend plus vite que les autres. Au fur et à mesure qu'il versifie, il lui soumet ses tirades. Depuis le temps qu'il fréquente les acteurs, il n'a jamais vu ça. Elle parvient à faire sonner chaque syllabe, même les séries de voyelles si délicates à prononcer, *ingrate à vos bontés*, dit-elle tantôt tout attaché, *ingratavobontés*, comme un juron, une malédiction, tantôt tout découpé, en détachant les sons, comme poussés loin les uns des autres par le vent de la tragédie. Marie se réjouit que Jean enfreigne ainsi la règle qui les interdit. Mais Jean ne résiste pas à ce souffle heurté, cette discontinuité qui déjoue les facilités mélodiques. C'est ce qu'il aime dans la langue française et que les autres n'ont pas, ce lit de voyelles rocailleuses que les hiatus révèlent dans les vers comme l'été dans le fond des rivières. Marie est encore meilleure que Du Parc parce qu'elle pousse les portes d'un autre monde, où l'on marche dans ses rêves, où l'on parle sous hypnose. Il s'amuse parfois en lui disant qu'elle est sous alexandrins. Il aime cette espèce de froideur qui la gagne et la fait entrer dans une mer gelée sans trembler. Il comprend en la regardant que s'il compose des vers, c'est certes pour être le plus grand poète de France, mais aussi pour capter cela, le son d'une conscience qui s'exprime à haute voix. Pleine, libre, parfois glaçante. Jean expérimente une nouvelle méthode de travail : il ne lui fait pas seulement reprendre dix fois de suite ce qu'elle trouve difficile, il la force également à reprendre ce qui lui vient aisément. Et quelque chose de nouveau advient, comme un automate au fond du corps de Marie. Son intuition lui dit que c'est de cette créature mécanique et répétitive qu'émanera le naturel le plus souple, le plus surprenant, le plus vrai.

Avez-vous senti remuer la machine en vous ?

Oui.

Dans ce cas, c'est parfait, passons à la suite.

Elle est parfois si émouvante que Jean vacille, s'assoit, ne sait plus où il est alors même que ce sont ses vers. Il la regarde, interdit, et il l'applaudit, concentré sur l'incessant mouvement de ses paumes l'une contre l'autre, qui ventile sa présence, éloigne sa silhouette, ne la lui présente plus que morcelée, en tranches. Elle s'étonne, s'inquiète :

Ce n'est pas ce que vous vouliez ?

Si, si, et plus encore.

Elle sourit en prenant un air soulagé où il voit qu'elle joue encore parce qu'en réalité, c'est une actrice qui connaît ses effets. Alors, piqué par tant de minauderie, Jean s'agace, redouble d'autorité et lance un tonitruant « Continuons ! ». À Nicolas, il confie parfois qu'il en a assez de toutes ces actrices qui le manipulent sous prétexte qu'elles disent bien ses vers et qu'elles ont de beaux yeux.

Dans ce cas, arrêtez de mélanger le travail et l'amour. Trouvez-vous une bonne petite épouse qui n'entendra rien à la poésie.

Et Jean de le regarder d'un air hébété. Que ferait-il d'une femme pareille quand il peut tenir entre ses bras des instruments plantureux et performants ? Comment résister au plaisir d'assister à la naissance d'une créature qui soudain n'a plus que vos mots pour parler ? À cette félicité qui monte en lui quand il entend ses vers claquer comme des voiles neuves ? La bonne petite épouse attendra.

Corneille est en train d'écrire l'histoire de Titus et Bérénice, lui apprend Marie. Jean n'hésite pas une seconde. Il laisse tomber ce qu'il a commencé, s'immerge dans Suétone. Il donnera sa version de l'histoire pour se mesurer directement, en finir. *Titus qui aimait passionnément Bérénice, et qui même, à ce qu'on croyait, lui avait promis de l'épouser, la renvoya de Rome, malgré lui, et malgré elle, dès les premiers jours de son Empire.* Suétone ne dit pas exactement cela. Jean a simplifié, biffé un paragraphe entier sur les débordements tumultueux auxquels se livre le jeune homme pour qui se séparer de Bérénice reviendrait à s'amender. Jean ne veut pas de tout ce fatras, de tout cet habillage moral. Il veut une séparation pure et dure qui coupe dans la chair vive de l'amour. Au bout de quelques semaines, il tient un mouvement d'ensemble lent et circulaire. Tout mènera à l'annonce de la décision de Titus, ce sera l'événement annoncé et retardé. Avant il y aura eu l'attente plaintive puis l'instant de bonheur parfait, furtif, éclatant, mirage de cristal dans la nuit noire, *De cette nuit, Phénice, as-tu vu la splendeur*, la voix légère de Bérénice heureuse, comblée, un instant, si parfaitement comblée qu'elle confondra le bonheur et la crédulité, la plénitude et le vertige. Il y aura dans sa voix la douceur d'un rayon de miel minuscule, éphémère, fragile, et tout autour, les terres vastes et désolées de l'abandon. À tel point qu'on pourra conclure de sa pièce que l'amour ne donne jamais qu'un seul instant de bonheur, fugace et démenti.

Il entend déjà le miracle que produira Marie, cette résignation que tout viendra piquer, provoquer pour qu'elle se remette à croire à l'amour de Titus. Ce sera le premier pic, l'absolu bonheur, aussitôt suivi du deuxième, la chute, en spirale, parce que l'esprit humain n'admet le pire qu'en détours, doit s'habituer, couler son malheur dans les méandres d'un fleuve trompeur. Je raconterai tous les cahots de l'abandon, se dit Jean, celui qui ne peut pas s'admettre, invente, implore, puis qui s'admet et rugit, avant de plonger l'âme dans la mort, de couper tous les fils qui la reliaient encore, pour l'installer dans une immobilité parfaite, sans perspective, sans distinction entre le jour et la nuit, hier et demain. *Que le jour recommence et que le jour finisse, sans que jamais Titus puisse voir Bérénice*. Il note. Ni avec Hermione ni avec Junie il n'est allé jusque-là, mais cette fois, c'est là qu'il veut entailler la créature, à l'endroit le plus tendre de sa chair, là où elle aime, où elle croyait être aimée et où elle est lâchée. Et il veut qu'on entende les échos de cette chute interminable, le son caverneux du vide entrelacé à celui de l'appel. Marie saura le rendre.

J'hésite à la faire mourir, confie-t-il à Nicolas.

Ce sera plus émouvant, plus efficace.

Et moins vrai.

Que voulez-vous dire ?

On ne meurt pas d'amour. Ce qui arrive le plus souvent, c'est ce désert dans lequel on entre pour un moment, l'hébétude de l'abandon. Ma Bérénice ne sera-t-elle pas plus héroïque si elle se retire sur ses terres dans le calme ? Je veux que mes amants marchent au bord du suicide mais qu'ils n'y versent pas.

Nicolas réfléchit, mais il ne suit pas toutes les lignes que Jean dessine. Il survient toujours un moment où, lorsqu'il n'est question ni de gazette, ni du roi, ni de syntaxe, leurs conciliabules achoppent.

Le désir qu'on a pour quelqu'un est une chose violente, dit Jean. Il vous pousse des griffes au bout des doigts.

Que vos amants soient des vautours, mais vos héroïnes ?

Pourquoi y échapperaient-elles ?

Parce que ce sont des femmes.

Et moi, je crois que c'est tout le contraire.

Jean entame la versification de sa *Bérénice* dans un état de détermination qu'il n'a jamais connu. Il regarde ses actes comme les pans d'un vêtement, qu'il doit coudre avec des fils tantôt lourds, ornés, tantôt tout simples, triviaux, des vers de comédie bourgeoise. Il commence par son quatrième acte, celui de la révélation définitive, procède ensuite par refroidissements successifs pour remonter jusqu'au début de la pièce.

Vous êtes empereur, Seigneur, et vous pleurez, commence Marie avant de s'écrier : Non, non ! Le parterre éclatera de rire.

Il la persuade du contraire, cite Euripide, lui explique comment l'iambe grec permet de passer de la prose à la poésie sans rupture, mine de rien, par le seul effet du rythme. Que c'est exactement ce qu'il cherche, qu'il lui confie, qu'il met entre ses lèvres parce qu'elle est la plus grande actrice de France.

Encore faut-il que le public le connaisse, votre iambe grec !

Non, non, ça n'a aucune importance, ce que je veux, c'est qu'au fond de mon français palpitent toutes les langues antérieures, toutes les autres musiques, qu'il soit une synthèse parfaite, une langue pleine et unique. Si moi, je les entends, c'est qu'elles y sont. Et le public les entendra. Grâce à vous, ajoute-t-il, flatteur.

Puisque vous voulez une langue parfaite, évitez-moi les bizarreries ! *Dans un mois, dans un an, comment souffrirons-nous Seigneur, que tant de mers me séparent de vous*? Chaque fois, je bute, ça ne va pas... Ce matin, j'ai enfin compris pourquoi, c'est à cause de ce *me* et de ce *vous* dans le deuxième vers alors qu'on attendrait : *que tant de mers nous séparent l'un de l'autre.*

Jean s'esclaffe.

On dirait que ça vous plaît d'introduire des bizarreries. Quel est ce *nous* qui regarde ce *me* et ce *vous* comme deux êtres différents de lui ?

Elle parle comme une reine et elle dit nous, puis comme une femme et elle dit *je*. Elle se dédouble un peu...

Marie réfléchit, répète les deux vers pour elle-même.

Je vous dis que ça ne va pas, ce n'est pas logique.

Fiez-vous à mon rythme.

Non, j'ai besoin de comprendre ce que je dis. Récrivez-les, voulez-vous, rien qu'un peu.

Sûrement pas, dit Jean fermement, mais je vais vous aider à les dire.

À force de répétitions, Marie finit par trouver un peu de fluidité, mais chaque fois un caillou vient ralentir ses pas. Et non seulement Jean le sent, ce souffle contrarié, mais il s'en réjouit, parce qu'il sert la peine de sa reine, et qu'il aime ces flottements qui retardent la compréhension pour libérer la musique. S'il le pouvait, il n'écrirait que comme ça, à contre-courant.

Au cinquième acte, il est prêt à lui pardonner le retard que ses perpétuels questionnements leur ont fait prendre car elle est magistrale. Elle réussit à donner au retrait de Bérénice le naturel et la gravité qu'il y a mis. Les vers qu'elle énonce vibrent tous de ceux qu'elle retient comme des larmes. *Je l'aime, je le fuis; Titus m'aime, il me quitte.* Jean a l'impression qu'au pied de ses mots en grouillent d'autres, perclus de mouvements minuscules et erratiques qui viennent cogner contre ses hémistiches et dont elle rend chaque coup. Elle sait dire les ellipses, les paradoxes silencieux, rendre l'épaisseur des blocs de pierre contre lesquels vient se fendre le cœur.

Titus est mourant. Il n'en a plus pour longtemps, quelques jours à peine, il murmure votre nom. Pourriez-vous venir à son chevet, une dernière fois… Elle ne lit pas jusqu'au bout, elle efface aussitôt le message.

Qu'il crève.

Elle jette son téléphone par terre, se déporte encore vers le mur, ferme les yeux, mais, sous ses paupières serrées, les lueurs s'obstinent. Lui revient une phrase grandiloquente peut-être aperçue à la fin du message. *Venez avant qu'il ne meurt.* Elle n'en retient que la faute de français, les imagine tous autour de la main qui a tapé le message sans soupçonner l'erreur, tous aussi ignorants les uns que les autres, englués dans une prose qui ne leur ressemble pas. Ou bien l'a-t-elle inventée pour les mépriser une fois de plus ?

Qu'il crève.

Quand il l'a quittée, elle a espéré toute la nuit une lueur où elle aurait lu, c'est impossible, je reviens, reviens, mais la nuit est restée noire, des blocs d'air compact autour d'elle, résistant aux premiers forages du jour. Qu'espèrent-ils en la faisant venir ? Qu'elle l'empêche de mourir ? Qu'il emporte dans la mort son meilleur souvenir ? Ou qu'elle renoue, comme eux, avec les larmes, les sanglots ? Quand elle en a assez de spéculer, elle dit : qu'il crève. Tu dois viser le jour où tu ne lui en voudras même plus, lui dit-on. Nous y sommes presque : comment en vouloir à un mort ?

Qu'il crève.

Les jours suivants, elle file vers Port-Royal en laissant son téléphone chez elle : ne pas être tentée de répondre, arpenter le vallon, ne pas lâcher son fil. Il n'est pas question qu'à cause d'eux la douleur revienne lui cuire le cœur. Pendant ses marches, elle piétine le souvenir du message, accélère le pas comme on se bande les yeux. Qu'aurait fait l'autre Bérénice à sa place ? Rien, lui dit-on, elle n'y serait jamais allée. Comment le savoir, répond-elle, personne ne peut le savoir, jusqu'à ce que quelqu'un soupire que si elle en arrive à se poser des questions pareilles… Quitte à composer une pièce sur rien, Racine aurait pu aller jusque-là, n'est-ce pas ? Titus à l'agonie demande à Bérénice de venir à son chevet : ira ? ira pas ? C'eût été au moins une aide significative, car depuis un an que Titus l'a quittée, elle ne saurait dire si Racine l'aide plus qu'un tricot auquel on accroche ses jours et sa peine, et quand on lui demande si elle est devenue une grande spécialiste du XVIIe siècle, elle sourit, dit non, explique qu'elle mâche et remâche ses vers comme les feuilles d'une plante apaisante, en se laissant porter par les événements, l'histoire, la grande et la petite. Tant mieux, lui dit-on, si tu as trouvé ta parade.

En quelque sorte, oui, jusqu'à cette nuit.

Les messages se multiplient, envoyés de plusieurs numéros, elle lit, tantôt *Venez avant qu'il ne meurt*, tantôt *Venez avant qu'il ne meure*, finit par se dire que ce n'est plus une faute mais la seule façon qu'ils ont de moduler leur appel. Chaque fois, elle trouve la même force dans ses doigts pour les effacer instantanément, redoute qu'un jour elle mollisse. Elle se demande si Roma a écrit elle-même l'un de ces messages ou si elle a prié quelqu'un de le faire à sa place. Elle se réjouit de la douleur qui doit mordre son cœur. Mais il ne suffit pas d'effacer des phrases pour les oublier. Les faits sont là. Titus va mourir, Titus l'appelle, Titus l'attend. N'y retourne pas, lui enjoint-on, tu replongeras. Un nouvel argument prospère. Tous les efforts que tu fais depuis un an seront anéantis, il te faudra tout recommencer. Elle s'interroge sur les efforts, le recommencement, se demande si le chagrin a des acquis ou si, comme au jeu des mouches, dès qu'on ouvre les poings, c'est fini, tout s'envole, ignore tout de ces échelles qui se pratiquent decrescendo, ne connaît que les autres. Il va mourir, il l'appelle, il l'attend. Et Bérénice, qui brûle encore pour Titus, cède à l'idée qu'on ne doit pas éteindre ce feu-là. Plutôt crever. Alors sans rien dire à personne, elle marque la scène, comme on marque une chorégraphie avant de la danser, pour préparer les déplacements, anticiper les sauts, les changements de trajectoire. Elle ne pleurera pas, elle restera droite, elle les regardera le perdre, profitera de son avance, toisera leur douleur. Ils ne savent pas encore ce que c'est que de le perdre, alors qu'elle le sait depuis longtemps, que cette deuxième fois ne sera rien à côté de la première. Puis elle s'assoira à son chevet et découvrira le grand corps de Titus tout amoindri, tout fondu. Non, jamais Bérénice ne chercherait à se venger de la sorte. Je ne suis pas Bérénice.

Elle sonne. On lui ouvre. C'est elle, c'est Roma. Dans le contre-jour, elle reconstitue ses traits d'après les photos qu'elle a vues d'elle autrefois. Leurs mains se tendent machinalement l'une vers l'autre, mais, in extremis, celle de Roma se ravise, vient se remettre le long de sa hanche. Ne pas toucher ce qu'il a touché. Bérénice et Roma, debout l'une devant l'autre, muettes, le grand corps de Titus étendu à l'étage, dais ou catastrophe, ciel tendu au-dessus de leur duel sans gestes. Peut-on haïr sans cesse et punit-on toujours ?

Les enfants de Titus arrivent les uns après les autres, de derrière, en demi-cercle tout autour de Roma, une grande famille devant laquelle elle ne pèse rien. Ils sont curieux, après toutes ces années, tous ces drames, ils veulent voir à quoi ressemble ce poids plume. Ils regardent, soupèsent, mais ils ne sauraient dire qui domine et qui craint. Leurs questions muettes se détachent, viennent fouetter l'air de leurs lassos confus, indécis, détacher puis ligoter l'une contre l'autre Bérénice et Roma. Laquelle des deux Titus aurait-il donc dû choisir ? Même sa fille unique ne sait plus, elle qui a dû mille fois s'imaginer à la place de l'une et de l'autre, se désoler que les femmes se répartissent ainsi autour des hommes –substance amalgamée tantôt épouse ou maîtresse, mère ou enfant, blonde ou brune, Bérénice ou Roma – et maudire si souvent son père. Ils baissent les yeux. Ils s'attendaient à ressentir pour elle une haine pure, sans mélange, mais ils ne peuvent pas et s'en veulent parce que Roma est leur mère, qu'ils se souviennent de ses nuits de larmes, de ses matins de larmes. À la limite, ils ne verraient pas d'un si mauvais œil qu'elles s'assoient toutes les deux à son chevet, qu'il les ait toutes les deux au moment de mourir. Non, ce ne serait pas si mal après tout. Entre ses paupières lourdes, Titus pourrait distinguer la silhouette fine de Bérénice de celle de Roma, plus massive. Ou alors il les confondrait mais cela n'aurait plus aucune importance. Il prononcerait leurs prénoms, d'une voix sourde et rauque, Ah, Roma, puis, dans un souffle plus rétif, Ah, Bérénice. Elles glisseraient jusqu'au grand lit de Titus, le regardant puis se regardant, incrédules. Puis elles se glisseraient dans le grand lit de Titus, s'obligeant à respecter la même vitesse pour ne pas tomber dans la précipitation, la mesquinerie du vaudeville, chacune d'un côté. Bérénice à droite et Roma à gauche d'un Titus enfin flanqué de ses deux femmes, transporté dans la mort sur le double brancard de leur amour. L'un des fils s'avancerait, saisirait leurs mains, les unirait, marquant ainsi la fin du combat, le V d'une victoire sans vainqueur. Mais soudain les lèvres de Roma remuent, éructent, crachent quelque chose. Ni Bérénice ni personne ne comprend ce qui a fusé dans ce souffle grumeleux, mais cela ne fait aucune différence. Roma a tourné les talons, elle quitte l'entrée de la maison.

Une voix lointaine invite Bérénice à avancer, la remercie d'être venue. Les enfants s'écartent, la laissent passer, et quand elle passe, elle sent des odeurs de cheveux et de vêtements, des haleines mêlées, des épaules qui se pressent les unes contre les autres pour ne pas avoir à effleurer les siennes. Un paquet de corps où coulent le même sang, les mêmes gestes, les mêmes voix ; la meute carnassière des familles unies prête à dévorer l'étrangère. On lui annonce que quelqu'un va bientôt la conduire jusqu'à sa chambre. Elle hoche la tête puis se demande qui peut bien s'être dévoué pour accomplir pareille besogne. C'est une inconnue qui s'avance, lui propose de la suivre, lui glisse, j'ai tellement entendu parler de vous. Elles longent un couloir, arrivent au pied d'un escalier. Les premières marches craquent et, sous ses pas, Bérénice a l'impression de fouler ses propres os. Elle s'accroche à la rampe, respire fort. L'autre se retourne, lui demande si ça va. Oui, oui, répond-elle. Et Roma ? Où est Roma ? demande-t-elle. Partie faire une course, répond la femme. Tandis que Roma achète du pain ou des médicaments, Bérénice va revoir Titus pour la dernière fois.

L'escalier est interminable, et, pour ne pas le gravir continûment, avec la menace de ne pas soutenir cette courbe ascendante jusqu'au sommet, la mémoire de Bérénice glisse sous ses pas des visions changeantes, alternées. Une marche après l'autre, son pied actionne le miracle de l'amour, sa défaite, le miracle, tantôt noir, tantôt blanc. Elle se revoit face à Titus, chancelante et émerveillée, la peau de son visage tendue par ce sourire béat, immense, ce n'était pas mon corps qui souriait alors mais mon âme qui s'ouvrait, plus puissante sous l'action de ce sourire, presque mystique. C'était le miracle de l'amour, jet de lumière dans la nuit venant se poser à l'endroit précis où se joignent deux bouches pour la première fois. Les bras en pierre de Titus, ses bras de statue qui s'animent, s'attendrissent pour se lever vers elle, la toucher, la serrer… Mais dès la marche suivante, leurs visages se crispent. Ils s'éloignent, crient, brandissent leurs arguments, cherchent à pulvériser ceux d'en face. Il y a Titus et, en face, il y a Bérénice, sur des bords opposés. Titus ne peut pas quitter Roma. Si bien que Bérénice est obligée de faire l'article de son amour, sa réclame. Dans son pauvre boniment, elle plaide pêle-mêle pour la primauté du désir, la capacité des enfants à pardonner, l'insignifiance d'un patrimoine. Tu ne l'emporteras pas dans la tombe, répète-t-elle à Titus, comme une vieille épouse. Nous y sommes, dit la femme en haut de l'escalier. Bérénice halète. Devant ses yeux, sur le mur du palier, elle avise une grande photo de Titus, Roma, les enfants. Elle se fige. Que le diable emporte les familles et leurs trophées, pense-t-elle, ce soleil, ces sourires, cette jovialité triomphale. Plus que tout, au-delà de tout, elle a voulu valoir plus que la famille de Titus, plus que six personnes réunies, plus que leurs années réunies, être cette devise providentielle qui dévaluerait instantanément toutes les autres, et au nom de laquelle un homme braderait son empire. C'est moi qui ai pris cette photo, dit la femme. Déjà sa main se pose sur la poignée de la porte, appuie doucement. Tandis que la porte s'entrouvre sur un bloc d'air où viennent puiser les dernières respirations de Titus, Bérénice sent sa poitrine se durcir, se rétrécir, et, avant d'étouffer, elle s'écrie, non, je ne peux pas, je ne peux pas, et redescend l'escalier en courant.

Elle n'a d'yeux que pour le couloir qui la mènera vers la sortie mais elle aperçoit la silhouette de Roma, déjà revenue de sa course, soulagée, victorieuse, puisque c'est contre elle et seulement elle que Titus mourra. Avant de franchir la porte, Bérénice entend pourtant derrière elle cette voix qu'elle ne connaît pas.

Mais, Madame…

Sans se retourner, elle stoppe net. Ses doigts se crispent sur la poignée. Elle pense que son amour pour Titus fait décidément battre à grands coups les portes de son cœur. Madame, dit de nouveau Roma. Et contre toute attente, ses yeux l'implorent, la supplient de rester. Gênée, Bérénice sourit et Roma ajoute, restez, parce qu'elle n'en peut plus de regarder cette place vacante, cette chaise vide aux côtés de Titus. Si elle le pouvait, elle empoignerait le corps menu de Bérénice et l'y placerait de force. Elle l'y visserait pour qu'enfin il remplisse le vide coupable qui a ruiné son mariage. Mais Bérénice a déjà claqué la porte.

Dans sa voiture, elle pleure bruyamment, salement. Bouillie humide, dégoulinante, son visage de morve et de larmes, ses cheveux dans les yeux, ses doigts mouillés sur le volant. Elle pleure comme elle n'a plus pleuré depuis longtemps parce que désormais ses larmes coulent le long de parois gelées, vous ne le voyez pas mais au-dedans, je continue à pleurer tout le temps, dit-elle parfois. Titus n'a été qu'à quelques mètres d'elle, derrière une porte entrouverte, mais elle a refusé de l'approcher, de poser la main sur lui. Car, même dans ces conditions extrêmes, défavorables, si elle avait posé sa main sur la sienne, elle aurait eu peur de sentir instantanément remuer la chair vivante de l'amour, ou le contraire, sentir sous le marbre de sa main rien de plus que le marbre de son amour. Elle refuse d'envisager cette possibilité plus longtemps.

Dans le grand cynisme de la convalescence, elle a, bien sûr, entendu mille fois qu'un clou chasse l'autre. Elle a opiné, elle a souri, elle a même essayé. Au plus fort de sa rage et de son chagrin, elle va se consoler auprès d'Antiochus, un homme beau et fidèle. Elle pleure sur son épaule tandis qu'il l'étreint, qu'il cherche à affiner l'épaisse silhouette de Titus entre eux, mais plus il serre, plus la chair de Titus lève, gonfle, s'interpose. Sur le moment, Bérénice trouve Antiochus magnanime puis se souvient que A aime B qui aime C et qu'il n'a aucun mérite puisqu'il est le A qui aime le B. Dans ses bras, plusieurs fois, elle se demande pourquoi l'illusion de l'amour ne se déplace pas jusque-là, comme un petit nuage capable d'enchanter n'importe quelle union. Si B s'illusionne sur C, pourquoi ne le ferait-elle pas sur A ? Doit-elle en conclure que dans cette illusion se niche tout de même une infime mais décisive portion de réalité qui rend la translation tout juste impossible : jamais A ne deviendra C. Alors Bérénice prie Antiochus de ne plus jamais l'appeler ni de tenter de suivre ses pas. Tu me renvoies à mon désert ? proteste-t-il tristement. Oui, chacun son désert.

Elle se cramponne à son volant, avec la certitude que le corps de Titus est le corps idéal de son père et de sa mère réunis, un bloc de chair primitive, celui contre lequel elle doit naître et mourir, et pleure encore sur l'effort qu'elle doit faire pour s'en séparer. Et plusieurs nuits d'affilée, tandis que crépite encore le bois de l'escalier sous ses pas, la porte s'ouvre en grand, elle entre et s'approche.

Alors tu as fini par venir… Je pensais que tu refuserais de venir

J'ai refusé

Mais tu es là

Non je ne suis pas là

Avec tout ce qu'on me donne, tu es peut-être une hallucination de plus

Sa main s'anime sur le drap. La forme des doigts, le dessin des ongles, l'os du poignet, elle les reconnaît. Elle avance la sienne, prend celle de Titus, serre ses doigts entre les siens. Ceux de Titus répondent avec la même intensité, mais il est trop épuisé pour parler. Puis la pression se relâche et la main de Titus devient molle, inerte. Celle de Bérénice se contracte mais n'attrape rien. Elle regarde autour d'elle, cherche à comprendre, à savoir quoi faire de cet énorme trophée, de ce sanglier mort qui, auprès d'elle, s'est échoué. Doit-elle pleurer ? S'enfuir ? Appeler Roma ? Non, Bérénice n'alertera personne, restera là, au chevet du corps mort de son amour. Et elle lui parlera en soufflant des murmures vers son visage qui ne sentira plus rien. Elle lui racontera toute leur histoire comme s'il ne la connaissait pas, comme on réinvente chaque soir l'histoire du petit garçon dans la forêt pour son enfant, fidèle à la geste précieuse et futile qui n'a de sens que là, dans une chambre, entre deux personnes, à mi-voix, entre le jour et la nuit. Et enfin, elle lui confiera tout le détail du chagrin qu'il lui a causé et que l'orgueil d'un vivant refuse d'avouer à un autre vivant. Cela durera une heure, peut-être plus. Et Bérénice sortira de la chambre tout engourdie, cotonneuse et pâle.

Roma lui adressera un regard plein de mépris. Elle ne la chassera pas expressément mais elle la poussera, courra au chevet de Titus, pleurera puis s'agitera dans le reste de la maison sans la voir. Les enfants passeront aussi devant elle sans la voir. Au coton de son adieu succéderont une pluie d'aiguilles, leurs cris, leurs mouvements heurtés. Tous lui en voudront d'avoir été choisie par Titus pour mourir. Seule peut-être l'amie de la famille aura pour elle un geste de considération, une attention. Elle lui proposera une tasse de thé, un alcool, mais Bérénice refusera. Elle s'en ira hagarde en caressant longtemps le creux de sa main, encore à son réveil.

Le roi a désormais trente-deux ans. Il a réussi à faire de chaque représentation théâtrale un rayon du soleil qu'il incarne. Partout où il va, se joue une comédie, un ballet. Les deux heures qu'il commande aux auteurs creusent une nouvelle durée dans la vie des gens : le temps imparti au spectacle de la vie. Jean se dit parfois que plus que les guerres et les conseils, c'est ce remodelage du temps qui sera sa signature, sa marque, ce que la postérité retiendra de son règne.

Le roi a fait savoir que Jean devait continuer d'écrire des tragédies sans qu'on puisse affirmer que c'est le genre qu'il préfère. Et quand ils se voient – de moins en moins rarement – il semble à Jean désormais qu'entre les gestes et les regards du protocole serpente un autre regard venu de plus loin, de dessous les circonstances, d'un pays où ils ont le même âge, la même valeur, tous deux aux commandes de leurs troupes : ainsi le poète puise-t-il un peu de bravoure chez le capitaine, tandis que le capitaine, de cet or sans poids ni couleur que manie le poète. Quelques heures avant la représentation, Jean exprime ce sentiment devant Nicolas, qui lui reproche sa trop grande imagination mais qui reste interdit lorsque le roi fait savoir, ce soir-là, qu'il veut Jean à ses côtés.

Il n'a pas besoin de tourner la tête pour sentir, saisir n'importe quel contour, un geste, le souffle le plus mince. Il détaille ses chaussures, leurs motifs, les boucles, les rubans, la texture soyeuse de ses bas. Il va de la cheville au mollet, remonte lentement quand, juste sous le genou, il avise un accroc. Sous le choc, son visage manque de pivoter pour scruter le défaut. Il se retient, oblitère sa vision sur le côté, se force à regarder droit devant lui, mais son esprit ne lâche plus l'accroc du bas : le roi n'est qu'un simple mortel soumis aux aléas de la matière. Un jet de haine à l'égard de tous ceux qui l'ont laissé se présenter ainsi, exhibant ses défauts, son humanité, soulève alors le cœur de Jean. Les étoffes lourdes, les lumières capiteuses raréfient l'air, il étouffe, quand soudain résonne la voix d'Antiochus :

Arrêtons un moment.

Jean se calme, ferme les yeux. Ma pièce ne sera qu'un long soupir de part en part, disait-il à Nicolas.

Le public a besoin d'action, répondait celui-ci. Le roi tourne la tête vers lui. Jean ne peut résister et croise son regard. Le roi sourit, dit « Audacieux », puis se remet face à la scène. Le cœur de Jean s'embrase. Le roi a compris le sens de ce soupir. Telle une cire fondue, le cœur de Jean coule entre ses côtes.

Dès lors et pendant les cinq actes, ils ne se regarderont plus mais ils enchâsseront leurs écoutes, leurs questions : Jean se demandera sans cesse si le roi perçoit qu'au-delà de cette simple tragédie, sans ballets ni machines, il veut créer cette langue pure, donner à son règne l'éclat du diamant au milieu des pierres fausses et corrompues. Le roi s'étonnera qu'on puisse balancer aussi justement entre le pouvoir et l'amour. Il y a certainement du Titus en lui, peut-être même un peu de Bérénice. Jean bouillonne, ne se tient plus, est obligé de mille fois se tortiller sur son siège pour calmer son excitation : cette tragédie scellera entre eux un nouveau type d'entente, sans mots ni commentaires savants, de ces ententes qui lèvent au fond des blessures, de ces complicités que ni Corneille ni Molière n'attraperont jamais. Et, comme un fait exprès, un instant avant la fin, le roi tourne entièrement son visage. Jean aussi : une larme roule, se fige, se remet à rouler avant de disparaître dans la grosse étoffe de l'habit. Jean essuie sa joue, comme s'il avait pleuré lui-même, hoche la tête, puis se remet à fixer le théâtre devant lui.

Marie a été prodigieuse. Il la félicite, la remercie, l'étreint, mais cette nuit-là, couché à côté d'elle, il ne pense pas à elle. Il pense à Du Parc. Le chagrin se résorbe progressivement, tel un phénomène chimique, physiologique, constate Jean, il s'assèche, quitte les profondeurs du corps pour n'en occuper que la surface, il se déprend de l'odeur, du toucher, mais longtemps il s'agrippe aux images, comme lorsque le beau visage de Du Parc surgit encore sans prévenir. C'est un visage immense, rieur, tendu comme une voile tranquille. Oui, cette persistance visuelle, cette tache sur sa rétine, c'est ce qu'il garde d'elle, après avoir tout oublié, perdu l'habitude de tout. Même s'il doit se concentrer désormais, mobiliser ses souvenirs pour le faire apparaître. Et s'il le fait encore, c'est pour qu'elle ne se dissipe pas, qu'elle ne le quitte pas, pour qu'une partie de lui ne disparaisse pas avec elle. Il y a sa tragédie, bien sûr, mais il lui faut aussi cultiver cette trace intime, jalouse, sur qui personne n'a droit de regard. Un jour, Bérénice, elle aussi, ne se souviendra du visage de Titus qu'en s'obligeant à y penser. Heureusement que mes pièces m'empêchent d'avoir à dire cela, pense-t-il, ce lot commun, cette fadeur, ce crève-cœur de l'amour. S'il choisit d'écrire en vingt-quatre heures, n'est-ce pas pour ne pas avoir à tout verser dans la grande marmite du temps ? Il déteste le temps parce qu'il use l'amour et le chagrin de l'amour.

Il regarde Marie dormir. D'elle non plus, il ne restera plus rien que l'image d'un minuscule visage tendu sur ses pensées, et encore. Quand Du Parc le quittait, l'oubliait, le trompait, son visage chaque fois se fracassait, ne lui laissant entre les doigts que quelques éclats hagards. Au moindre soupçon, son front flétri tombait lourd sur ses yeux caves, du verre brisé au-dessus de ses pommettes. Il se regardait comme on regarde un mort, avec horreur et pitié à la fois. Puis, quand il l'a perdue, c'est le sourire que le désir fixait sur ses lèvres, la trace de toutes ces sèves intérieures qui montaient, affluaient, amplifiaient son attachement à la vie, le rendaient vorace, carnassier, qui a disparu. Pendant des mois, son visage est demeuré criblé de fractures, d'arêtes tranchantes qui se sont un peu émoussées pour lui laisser une figure suturée mais affalée, sans même qu'il pût compter sur le moindre souvenir pour lui redonner un peu de pulpe ou de gonflant. Et il lui suffit de se concentrer pour remuer ses idées comme des doigts agiles familiers, aptes à reconnaître les contours, reconstituer l'ensemble du tableau, l'amplitude de l'effondrement.

Dans le lit, Jean s'éloigne de Marie, épuisé par ses pensées. Au moins aura-t-il créé une magnifique chimère dans l'esprit du public : la persistance éternelle de deux visages, celui de Bérénice à jamais gravé dans la mémoire de Titus, et vice versa.

Toutes les dames ont pleuré, lui dit Nicolas. C'est un triomphe. Elles citent vos vers à tout bout de champ. Elles sont là, pépiant, et brusquement elles déclament, graves, habitées, de vraies pythies. *Je l'aime, je le fuis ; Titus m'aime, il me quitte !* On dirait bien que vous avez réussi là quelque chose… Je ne sais pas quoi mais très certainement quelque chose…

Que les femmes de France qui emplissent désormais les théâtres aient besoin de mes vers pour parler de leur amour… Pour elles-mêmes, devant les autres. Je suis un recours national.

Vous parlez comme les gazetiers. Sachez cependant qu'on ne dit pas que cela… ajoute Nicolas.

Et que dit-on ?

Que votre tragédie est une suite de beaux morceaux, une rhapsodie galante…

Continuez.

Que votre Antiochus ne sert à rien, que son dernier mot est un « Hélas » de poche, aussi gros que le mouchoir qu'il prend pour pleurer.

Il n'y a pas de mouchoir sur scène.

On dit que cet « Hélas » en tient lieu.

Et à vous entendre, vous n'êtes pas en désaccord ?

Ne vous avais-je pas dit qu'à composer sur si peu de chose, vous auriez des critiques ? Pourquoi avoir écrit une tragédie sur rien ?

Une séparation n'est pas rien.

C'est vous-même qui l'avez dit dans votre préface.

C'est vrai.

Est-ce une lubie de moderne? une provocation de faiseur?

Non. Si vous parvenez à saisir tout ce qui se passe dans l'annonce d'une séparation, vous êtes au cœur de la condition humaine, ses désirs, sa solitude. On peut disséquer la mort d'une âme sans verser une seule goutte de sang.

Ne recommencez pas à me parler de dissection!

Jean hoche la tête avec dignité mais il est mortifié. Plus encore quand il apprend que certains de ses vers tournent comme des plaisanteries de salon. Marie l'avait mis en garde. On parle de souverain comique, d'empire de pacotille, pire encore. On rabaisse les mobiles de son héroïne : si elle se tuait, Titus se tuerait aussi, et la pauvre aurait le déplaisir de le retrouver dans l'autre monde, d'où son retour en Palestine.

C'est négliger tout l'effort qu'elle se fait pour s'en séparer, répond-il en citant sa préface, ce qui ne manque pas de susciter des attaques en règle contre sa syntaxe, ses verbes mal construits.

Peut-être avant la nuit l'heureuse Bérénice, Change le nom de reine au *nom d'impératrice.* C'est un *en* que vous auriez dû mettre.

On dit *le pain est changé* au *corps de notre seigneur*, se défend Jean.

Votre tragédie n'est pas une eucharistie.

Vous ne respectez pas la grammaire : *Ma langue embarrassée, Dans ma bouche vingt fois* a *demeuré glacée.* C'est un *est* qui aurait dû venir là, s'insurge-t-on, *est demeurée glacée.*

Mais l'effet ne serait pas le même.

De quoi parle-t-on ? pense Jean, pour qui cette agitation emprunte au procès et à la bourse de valeurs, à la loi et au marché, tant et si bien qu'à la fin il renonce, laisse fuser et s'étouffer les griefs. Croient-ils vraiment qu'il n'a pas choisi d'écrire ce qu'il a écrit ? Nicolas s'en veut de ne pas l'avoir poussé à se corriger davantage mais ne peut qu'admirer le culot de son ami, cette manière d'empoigner discrètement la langue et de la tordre à sa guise, et finalement, contre toute logique, cette nouvelle déférence quand il arrive quelque part. Sans doute est-ce son air grave, ses habits de plus en plus somptueux. Devant lui, il énumère toutes les hypothèses. Primo, Jean a su faire parler le cœur saignant de l'amour – les moqueries ne sont là que pour masquer la reconnaissance et la souffrance, précise-t-il. Deuzio, le roi a les yeux qui brillent désormais quand il parle de lui, malgré Molière, malgré Lully. Tertio, il a définitivement relégué Corneille au rang des vieux poètes tragiques. Jean sourit. Il aime ce genre de débit vif, arithmétique, les conclusions tranchées, les rafales qui plaident en sa faveur.

Les plus belles femmes le pressent de confidences. Parfois crues, comme celle qui lui dit que les séparations sont bien moins majestueuses dans la vie que dans sa pièce, qu'elles n'ont pas cette harmonie grave, qu'elles sont stridentes, crèvent les tympans, une personne quittée est une carcasse qu'on désosse et qui couine de toutes parts, dont on déchire les plus tendres cartilages, sans ordre ni méthode.

N'est-ce pas plutôt le cœur qu'on nous arrache ? suggère-t-il.

Non… non… ce sont les os, répond-elle.

Les vers s'aiguisent comme des couteaux sur les sensations vécues, pense Jean.

Il m'a semblé que les personnages de votre *Bérénice* n'étaient plus que tas de cendres, lui murmure une autre.

Oui, dit Jean.

Des cendres fumantes mais qui ne fumeront plus longtemps, ajoute la dame d'une voix étranglée.

Oui, dit encore Jean, charmé par l'haleine douce qui tape contre son oreille.

Le ciel froid fatiguera leur ardeur…

Il acquiesce, sourit, salue son talent de poète quand soudain elle fond en larmes. Gêné, Jean regarde tout autour de lui : à l'autre bout de la pièce, il croise le regard perçant de Nicolas, le sourire de

Marie, puis, se sentant encouragé, il tend la main vers sa voisine, serre ses doigts dans les siens, lui promet la plus tendre des consolations.

Alors vous êtes comme moi ? lui dit-elle. Vous aimiez, vous vouliez être aimé ?

En quelque sorte.

Elle réfléchit, reprend.

Je refuse de penser que de si beaux vers ne vous viennent pas du fond de l'âme.

L'âme n'a pas de fond, dit Jean.

Son aplomb le réjouit. On l'a assez accusé de galanterie pour qu'il n'aille pas en plus trop se fourvoyer parmi les dames. Et il doit bien l'avouer, sa pièce va au-delà de ce qu'il a vécu. Il y a certes mis ce qui lui restait de chagrin pour ensemencer le cœur du public, faire flamber la braise, mais son sang à lui s'est doublé d'un fluide, d'une substance blanche, froide, ignifuge. Quoi qu'il m'arrive, se dit Jean en étreignant la malheureuse, je ne souffrirai plus comme une femme. Et quand, un moment plus tard, il la pénètre, l'énergie qu'il met dans le mouvement de ses hanches vient confirmer que le chasseur n'est plus la proie.

Les machines envahissent les théâtres, celui de Molière en particulier. Les ingénieurs arrivent de partout, on surenchérit, le roi commande, s'extasie devant les jeux de poulies. Sur scène, les mers se déchaînent, les ciels s'obscurcissent, on vole, on lévite, on se noie. Jean s'effraie de tant d'illusion. C'est mettre Dieu et le Ciel à toutes les sauces, dit-il quand on l'interroge, c'est se prendre pour eux. Jamais il n'est allé jusque-là, jamais il n'ira. Une nuit, à cause d'un spectacle qu'il a vu, il rêve qu'il brûle en enfer, dans un feu soixante fois plus chaud que tous les feux de la terre, que son âme est telle un morceau de carton qui se gondole et se tord dans les flammes. Malgré sa frayeur, il se réveille content de se figurer l'enfer avec une telle précision, il répète, « un feu soixante fois plus chaud que tous les feux de la terre ». La mesure contient sa peur.

Je dois parler au roi, dit-il à Marie, que Molière cherche à débaucher à tout prix. Si on continue comme ça, c'est tout le royaume de France qui se transformera en stupide machine.

À votre place, je m'adapterais, lui répond-elle avec une tendresse qui n'exclut pas la trahison.

Lors d'un entretien que lui obtient Nicolas, le roi lui répond qu'il a besoin de se divertir et plus encore de divertir le royaume. Les machines sont captivantes pour le regard et l'esprit, ce qui n'exclut pas la grande tragédie. Il aime sa langue, elle sert le pays, l'humanité tout entière. La rage exclusive des femmes, la résignation des hommes, leur ambition, qui les a dites comme lui ? Puis le roi s'approche, baisse la voix.

Que les hommes soient une fois traités comme des femmes, c'est-à-dire…

Le roi hésite, baisse la tête et dit :

… pénétrés. Qu'ils comprennent ce besoin d'être possédée, remplie, ce sentiment de vide et d'abandon qu'une femme doit éprouver au fond de son ventre…

Jean est stupéfait. Il masque son trouble tandis que le roi trace autour de lui des cercles de plus en plus serrés.

… mais à l'inverse, que les femmes une seule fois connaissent ce désir qui pousse pour jaillir, ensemencer, puis qui s'affaisse, disparaît. Nous, les hommes, nous savons bien que le désir ne dure pas, ne s'attache pas, qu'il est multiple, n'est-ce pas, nous le sentons chaque fois, mais elles, comment voulez-vous qu'elles le sachent ?

Le roi s'éloigne, reprend une voix normale.

Si les sexes savaient cela l'un de l'autre, si chacun pouvait se mettre, ne serait-ce qu'une minute, à la place de l'autre, il n'y aurait pas tant de drames et de malheurs. Mais il n'y aurait pas non plus de tragédie et ce serait dommage. Vous contribuerez peut-être à lever le malentendu, enfin, espérons-le…

Le front de Jean se plisse. Il craint la suite.

Vous essayez de rentrer dans le corps d'une femme, et c'est ce qui est admirable, poursuit le roi. Peut-être un jour une femme fera-t-elle l'inverse, mais celle qui aura cet aplomb n'est pas encore née…

À la fin de l'entrevue, Jean a oublié le motif pour lequel il était venu. Il n'y a plus aucun tabou entre le roi et lui. Grisé par le galop de ses quatre chevaux, il songe que la seule machine qu'il vaudrait la peine de créer sur scène, ce serait une boîte magique où une femme entrerait pour se faire homme et vice versa. À défaut, il devra encore chercher les ressources en lui, passer par tous les alibis que lui offre la tragédie pour accomplir la mission inouïe dont le roi vient officiellement de le charger.

Alors il décide de revoir toutes les malheureuses qui lui ont fait leurs confidences, les réinterroge par le menu. Il leur assure qu'elles seront dans sa prochaine pièce, qu'elles y retrouveront leurs mots, leur mélancolie. Presque toutes se laissent convaincre. Il met au point un dispositif : il les fait asseoir dans une petite pièce qu'il a spécialement aménagée pour qu'elles parlent. Mais entre elles et lui, il a placé un rideau qui les protège de son regard. Quand il leur a bien donné ses instructions, il s'éloigne, tire le rideau, et leur demande de raconter.

Il note, souligne, les fait revenir sur tel ou tel mot. Vous avez utilisé le terme « déchirure », pourquoi? Décrivez-moi cette « épouvante », survenait-elle plutôt le jour? la nuit? Et cette jalousie, quand vous prenait-elle? De la même façon qu'il annotait Sénèque ou Quintilien, il appose ses commentaires en marge, à toute vitesse pour ne pas perdre une miette de leur confession.

Parfois, il double son dispositif en superposant des témoignages tiers : d'autres femmes viennent alors raconter de leur point de vue ce que la première a vécu. Avant de commencer, il leur précise : « Je veux tout savoir d'elle, ses transformations, sa pâleur, sa maigreur, la violence de ses mots, ses injures, son envie de mourir. » Consciencieusement, il note encore, compare, s'installe souvent entre les deux récits, à mi-chemin entre la complaisance de l'une et le plaisir que prend la seconde à peindre le malheur d'autrui. Mais il ne recherche pas de point de vue supérieur. Il préfère aller et venir, continuer, à l'insu de toutes, à explorer les plis de l'âme. Quand il a fini, selon son humeur, il les raccompagne ou les invite dans sa chambre.

Indignée par sa nouvelle méthode de travail, Marie s'emporte. Depuis quand un auteur s'abaisse-t-il à confesser des femmes ordinaires ? Où a-t-on vu que la poésie se nourrissait de réalité ? Sa vanité est-elle donc sans limites ? Peu lui importe, il engrange des renseignements dont il ne sait pas encore l'usage mais qui, à coup sûr, lui serviront. À la fin de ses consultations, il compte son butin : trois grands cahiers de notes.

Nicolas trouve sa démarche vulgaire. Il l'exhorte à brûler ses cahiers. Décidément, pense Jean, les flammes me guettent toujours. Mais comme il a pris très tôt l'habitude des autodafés, l'exécution de ses notes ne le bouleverserait même pas. Il n'a jamais oublié aucun des textes qu'il a brûlés.

Marie revient à la charge. On commence à savoir qu'il voit des femmes toute la journée. C'est une question de réputation, dit-elle. Pour se venger, elle cède aux files d'admirateurs qui se pressent, aux trompettes que fait sonner Molière à ses portes. S'il la perd, Jean perd non seulement l'âme de ses pièces, mais en plus, sa bataille contre les machines. Ses tragédies ont besoin d'une vedette. Alors pour se racheter, il accepte de brûler ses trois cahiers devant Marie. Et, pour parfaire entièrement son rachat, il décide dès le lendemain d'aller passer commande d'un portrait d'elle en pied.

Il l'accompagne lors des premières séances de pose, observe son visage, ses mains, sa façon de battre des cils tout doucement. Puis il s'enfonce dans le silence de la peinture. Il perçoit le frottement des pinceaux sur la palette, puis sur la toile, ferme les yeux. La prochaine fois qu'il devra commander à un acteur de faire un silence, c'est ce qu'il lui dira, un silence à en entendre les frottements du pinceau sur la toile ou ,mieux, la plume sur le papier. Marie tourne parfois la tête et avise son air sombre, le questionne. Jean invoque une migraine, une contrariété sans importance.

Vous feriez mieux de penser à vos Turcs ! lui dit-elle.

Mes Turcs se portent bien, répond-il sèchement.

Ils doivent triompher, faire oublier votre pauvre *Bérénice*.

Elle a raison : au point où il en est, il n'a pas d'autre choix que de boucler une tragédie pleine d'action. Et tant pis s'il s'ennuie un peu en l'écrivant.

Certains jours, il reste si longtemps dans l'atelier qu'il lui arrive d'entreprendre le peintre. Il l'interroge sur sa méthode, sur l'écart entre ce qu'il voit et ce qu'il peint. Le peintre répond qu'il fait justement tout pour réduire cet écart. Jean lui envie d'avoir un objet réel sous les yeux quand lui n'a jamais que des récits empilés, des visions floues, volatiles.

Quand j'étais enfant, je voulais peindre la terre en rouge, la terre rouge au milieu de l'herbe verte. Je pensais qu'on pouvait écrire de la même façon.

Le peintre le regarde, éberlué. Marie lui reproche de déconcentrer tout le monde avec ses lubies.

Nicolas n'a pas aimé son *Bajazet* et Marie a refusé le rôle de Roxane, trop sauvage, trop cru pour sa carrière, a-t-elle dit. Elle s'est braquée sur deux répliques. Sa déclaration toute nue au début de l'acte II, *Bajazet, écoutez, je sens que je vous aime*, obligée de se dédire aussitôt dans un *je ne veux plus rien* encore plus dénudé. Jean n'a pas essayé de la convaincre quand elle a ajouté qu'elle refusait d'incarner l'amour comme une morsure qu'on inflige à ceux qui ne nous aiment pas alors même qu'on n'a pas de dents, et l'a laissée jouer une Atalide plus fade.

Il enchaîne les pièces en fonction des modes, de l'inspiration de ses rivaux, des nouvelles valeurs qu'elle suscite. Il sait que Nicolas aimera son *Mithridate*. Tout le monde aimera son *Mithridate*, le roi en particulier, à qui il adresse des tirades entières sur l'exercice de son pouvoir, ses conquêtes. La fougue guerrière qu'il met dans sa pièce le gagne : plus que jamais, il répond aux attaques, démantèle les cabales, ferraille avec une énergie double, triple. Il devient chef de file, roitelet de salons, n'a jamais eu autant d'amis, de sujets. On s'efface devant lui, certains auteurs prennent des pseudonymes pour ne pas risquer la confrontation. Pour mettre ses vers à l'épreuve, il va même les gueuler dans le parc des Tuileries, déclame comme on dégaine.

On dit que les ouvriers des Tuileries vous ont pris ce matin pour un désespéré prêt à se jeter dans le bassin, lui rapporte Nicolas. Vous devriez faire attention.

Mais Jean n'en a que faire. Ou plutôt il ne lui déplaît pas de passer pour un fou, un extravagant qu'on redoute, comme dans certains de ses rêves où, revêtu d'une armure de roi, il plonge son épée dans le ventre du vieux Corneille, puis de son jeune frère, pour l'en ressortir pleine d'un sang huileux. Il peut même lui venir des hypotyposes dans la nuit, des récits furieux et somnambules qui font dire à Marie qu'il est capable de rivaliser avec les plus grands comédiens, à commencer par elle.

Les remontrances de Nicolas l'agacent mais il suffit qu'il dise qu'il n'est rien de plus sublime que le début de la Genèse pour qu'il lui pardonne. « Dieu dit : que la lumière se fasse et la lumière se fit. Que la terre se fasse et la terre fut faite. » Dans ces moments-là, Jean reconnaît qu'il y a dans leur amitié, au-delà du calcul et de l'intérêt mutuel, une même passion viscérale pour le style simple. Au point même que Nicolas dépasse les limites quand il fouille ses vers sans scrupules. Et quand ce ne sont pas les siens, ce sont ceux d'Homère ou d'Euripide qu'il soupèse de sa petite voix aigre : cette périphrase est enflée ou bien, dit-il, cette véhémence, cette rapidité, voilà la vraie sublimité. Malgré son exaspération, Jean l'écoute avec d'autant plus d'avidité que ses deux dernières pièces lui paraissent manquer de quelque chose. Cette majesté qu'il avait mise dans *Bérénice*, la folie d'Oreste, d'Hermione, elles n'y sont plus. Il a perdu son audace, bride ses personnages, ficelle le désespoir de Monime, la sauvagerie de Roxane, fait décidément trop de concessions à la mode et au triomphe.

Faites toujours de même avec mes vers, demande-t-il à Nicolas, épluchez-les, désossez-les, dites-moi chaque fois qu'ils enflent sous la pompe et virent au creux.

Comptez sur moi, lui dit Nicolas. À ce propos, je m'arrache les cheveux sur un vers d'Euripide. Vous pourriez peut-être m'aider ?

Volontiers, dit Jean.

Je l'ai traduit par : Quels horribles serpents leur sifflent sur la tête ? Qu'en pensez-vous ?

Jean sourit et reconnaît son emprunt. Les auteurs se pillent entre eux, c'est ainsi. Débonnaire, Nicolas se range à son avis, ajoute que, sans ces vols, certains s'effaceraient pour toujours, comme celui qu'il est en train de traduire justement, dont on ne sait à peu près rien et dont tous les autres textes sont perdus.

D'ici quelques siècles, c'est ce que nous serons nous aussi, dit Jean, deux auteurs incertains, à la limite de l'anonymat, nos paroles se perdront dans la forêt du temps. Avoir été sur terre, n'avoir jamais été sur terre, au fond quelle différence ? Pourquoi tant se fatiguer ?

Nicolas s'inquiète. Jean s'est mis à trembler. Pour calmer son émoi, il se force à visualiser le buste de marbre qui aura ses traits et qu'on retrouvera quoi qu'il arrive, érodé mais témoin, dans la forêt du temps.

Il attend.

Il aurait aimé être le seul, l'unique à être fêté, mais il n'a pas réussi à faire modifier l'ordre du roi. Deux autres récipiendaires vont entrer avec lui à l'Académie, mais, par égard pour tous, on les a installés dans des salons séparés.

Les plumes qui ornent son habit et son chapeau tremblent sous le vent qui souffle en lui, un air froid qui serre ses organes, glace son sang. On va bientôt venir le chercher pour devenir un immortel. Le mot ne lui fait nullement honte. Au contraire, il le réjouit. Il n'a pas besoin que son âme lui survive, sa langue le fera. Il pense à sa tante, à tous ceux qui lui ont seriné qu'il n'était point de salut. Qu'ils voient le chemin parcouru.

Jusqu'à l'an dernier, le public n'était pas convié aux séances de l'Académie, mais Colbert et le roi ont voulu les rendre plus illustres encore. C'est une chance. Jean a invité ses amis, le marquis, ses cousins, tout le monde, à l'exception de Marie, puisque les femmes ne sont pas admises. C'est un jour plus grand que tous les autres jours. C'est un baptême, le plus glorieux de tous les baptêmes. Cela fait plus d'un mois qu'il s'y prépare, arrange son discours, organise des festivités.

Il n'a eu besoin d'être candidat qu'une seule fois pour être élu parce qu'il est devenu expert en cabales et sait les tuer dans l'œuf ou les faire tourner à son avantage. Le roi lui a apporté son soutien immédiat. Sur les vingt-six votants, il n'a eu que cinq voix contre lui. Corneille avait dû se présenter trois fois avant d'être élu. La vieille silhouette trapue sera dans la salle de l'ancien Conseil du roi. La même qui venait nourrir les huées du parterre va l'accueillir comme les autres, en vissant des sourires sur sa peur, sa jalousie, sa détestation. Jean ne ressent plus à son égard qu'une légère animosité qui siffle un peu plus fort quand on lui dit que Corneille travaille en ce moment à une pièce présumée sublime.

On vient. Il suit l'huissier jusqu'au grand salon. À un bout de la table, la direction de l'Académie, de chaque côté, les autres académiciens, à l'autre bout, le fauteuil vide où il va prendre place, après les deux autres récipiendaires. Le roi a dû penser qu'il fermerait le rang avec plus de grandeur qu'un savant et un abbé. À moins qu'au contraire… Non, c'est impossible, se dit Jean, comme le roi ne peut penser cela de lui-même, il ne peut le penser de moi.

Il a soumis son discours à Nicolas, et même à La Fontaine pour l'occasion. Il a vu dans leurs yeux briller la jalousie et le dévouement qu'on met dans ce qui revient aux autres et qu'on verrait bien pour soi, le zèle de l'envie, le besoin de transformer le sentiment de l'injustice en gratitude chez l'autre.

Les discours commencent. Le regard de Jean croise celui du marquis. Jean esquisse un sourire, se souvient de la lune au-dessus de leurs têtes, de leurs bravades d'enfants. Il n'arrive plus à dissocier le plaisir d'avoir réuni ses fidèles du déplaisir que lui cause l'idée qu'ils l'ont connu sous son plus mauvais jour, orphelin, pauvre, exilé, et, pour ce qui concerne le marquis, plus d'une fois humilié. Mais à présent qu'il est académicien de France, plus personne ne brûlera ce qu'il aime. Dans le flot des pensées qu'il brasse, la lecture de l'article 24 des statuts lui apporte une bouffée de calme. Il le connaît par cœur.

La principale fonction de l'Académie, dit le directeur, sera de travailler avec tout le soin et toute la diligence possibles à donner des règles certaines à notre langue et à la rendre pure, éloquente et capable de traiter les arts et les sciences.

Jean comprend la mission, la respecte. Il en mesure la dimension sélective, collective, mais il n'est pas Furetière, il ne compose pas de dictionnaire. Il aimerait que le privilège soit plus grand encore, qu'il soit le seul, l'unique à pouvoir purifier la langue du plus grand roi du monde. La formule revient dans la bouche du récipiendaire, obligée, attendue et malgré tout grisante pour tout le monde. Il ôte son chapeau chaque fois qu'il prononce le nom du roi ou qu'il dit « Messieurs ».

Jean a peur d'oublier les gestes de l'étiquette quand viendra son tour. Il a demandé à Nicolas de lui faire un signe pour le cas où. Il aimerait savoir sur quoi travaille Corneille à présent, le défi que lui réserve encore le vieillard. S'agira-t-il de Rome ou d'Athènes ? Il se renseignera dès demain. Il se force à caler son regard sur le sien, à le fixer sans acrimonie, sans faiblesse, mais Corneille est pris d'une violente quinte de toux qui couvre les paroles de l'orateur. Si seulement il pouvait mourir le jour de mon intronisation, se dit Jean, quel excellent coup de théâtre ce serait ! Un sourire lui échappe. On dit d'ailleurs que Molière va très mal, qu'il pourrait bien expirer en scène à cause de ses poumons. Il serait alors le seul… Mais Corneille se redresse, retrouve son calme, son assise.

Jean se souvient de chaque ligne qu'il a écrite, les phrases roulent en lui sans faillir. D'ici quelques minutes, elles sortiront, vibrantes et cadencées, et n'auront aucun mal à effacer celles de Gallois. Car c'est bien là sa marque après tout, la cadence, toute la différence entre cette pompe continue et ce qu'il fait lui quand il compose, des phrases qui font entendre le nombre de leurs syllabes, des serpents qui déclenchent leurs ondulations à angle fixe, des mélodies discontinues. Le roi ne jure plus que par le théâtre chanté mais y a-t-il plus pur qu'un chant sans musique ? se demande Jean.

Ils applaudissent le savant avec chaleur. Jean joint ses mains à la cohorte des battements. Que peut-il faire d'autre ? Son regard croise celui de Colbert, venu spécialement écouter le plus grand auteur dramatique du royaume.

Reste encore le tour de Fléchier. C'est une autre vibration qui pousse, s'élance, soulève les cœurs. Les visages s'éclairent. L'orateur a du talent, une verve solennelle. Jamais il ne dépare, jamais il ne s'oublie en parlant. Fléchier est la constance même, une sorte de couleur toujours égale qui soudain suffoque Jean, l'intimide, lui fait penser que son discours paraîtra indécent en comparaison, dépoitraillé, obscène.

De loin, Nicolas l'encourage, mais il n'a qu'une envie, partir, filer, quitter ce mauvais rêve. Ignorer le rictus content de Corneille qui déjà se rengorge, de tous ceux qui ont voté contre lui, peut-être même de ceux qui ont voté pour lui. Les applaudissements n'en finissent pas, des cascades torrentielles, l'emportent dans un courant hostile, furieux. Jamais il n'aura les mêmes.

C'est à lui.

Jean se lève, ne vacille pas. Il fait confiance à cet aplomb fixé au fil des ans, stabilisé comme une substance chimique. Il marche, il prend place dans le fauteuil, salue. Le directeur ôte son chapeau. Il commence. Il pousse ses premières phrases comme des brasses dans une eau basse.

Dès la troisième phrase, Nicolas place sa main près de son oreille, l'engage à parler plus fort. Jean élève la voix mais elle reste sourde. Il ferme les yeux un instant, les rouvre. Le secrétaire lui adresse un regard encourageant, mais Jean ne le voit plus ; Hamon a pris sa place, il est à genoux dans la terre, on ne doit pas les entendre. C'est la nuit dans le vallon, il est au centre de la Solitude, on ne doit pas l'entendre. Sa voix baisse encore d'un ton. Pour un peu, on n'entendrait que les plumes de son chapeau qui se dressent et se rabattent. Ses phrases ne poussent plus, alors que devant lui, l'eau a pris des largeurs d'océan. Qu'il se taise plutôt que de débiter cette tirade courtisane, que sa voix fonde comme un or corrompu. Le visage de sa tante pâlit à vue d'œil, elle va défaillir, il doit se taire, ravaler sa pompe, la dire comme une prière pénitente et sans espoir. Il se tait.

Une vague de murmures fait onduler les rangs tout autour de la table, et aussitôt les applaudissements crépitent, se lèvent comme des flammes. Il rajuste son chapeau, se rassoit.

De cette journée, Jean n'entendra ni ne verra plus rien que les lambeaux de papier qu'il brûle en rentrant chez lui. On lui dira que sa harangue aura été aussi puissante que celle de Fléchier, mais il n'en croira rien. On lui proposera de publier son discours, mais il refusera. Quand ses amis voudront commenter l'événement, il les fera taire, hormis le marquis, qui lui conseillera de n'en pas garder trace. Pour la première fois de sa vie, Jean obligera sa mémoire à tout effacer.

Marie se rengorge. Elle ne cesse de répéter que lorsqu'il n'écrit pas pour elle, il faiblit. Mais un mois plus tard, Molière meurt enfin, et Jean se promet que la faiblesse n'entrera plus jamais dans sa vie. Il reste encore Lully, mais Lully ne sera jamais entièrement français. Cette fois, toute la place est pour moi, dit-il à Marie.

Il décide de rééditer ses quatre pièces, adoucit ses préfaces, notamment vis-à-vis de Corneille. À l'opposé, il corrige des bouts d'*Andromaque*, amplifie la fureur d'Hermione. Marie est ravie de voir grandir son personnage, mais Jean ne le fait pas pour elle. Hermione est un volcan dont il n'a pas encore donné toute la mesure. Pour cette publication, il commande à quatre grands peintres des frontispices et, sur la couverture, après avoir longuement hésité, il décide de faire figurer le mot *Œuvres* plutôt que le mot *Théâtre*. Ses vieux maîtres et sa tante en seront peut-être moins fâchés. Nicolas se moque de cet alibi qu'échafaude son orgueil. Même Corneille n'aurait pas osé.

À l'Académie, il n'assiste que rarement aux séances de ses pairs. Il y est constamment question des quatre ouvrages à rédiger pour remplir la mission assignée : un dictionnaire, une grammaire, une rhétorique, une poétique. La tâche est si lourde qu'on décide de s'en tenir au dictionnaire, mais Jean n'arrive pas à se passionner pour ce qu'il regarde comme un simple ajout de mots. Il reste en retrait, observe, vagabonde. Quand on l'interroge, il répond avec une certaine véhémence que la grammaire est plus fondamentale que le lexique. On lui oppose que l'Académie ne pense pas autre chose puisqu'elle a décidé d'adopter celle de Port-Royal. Il s'étonne de la complaisance du roi, ne sait s'il doit s'en féliciter ou non. Ses pairs le trouvent arrogant et peu coopératif, mais on ne l'attaque pas.

Il relit de près la *Grammaire* de ses maîtres. Selon eux, l'ellipse est le plus haut degré de la synthèse dont est capable l'esprit humain. Il croyait avoir inventé quelque chose quand ils l'avaient déjà consigné dix ans plus tôt. En tout, il n'a fait que les suivre. Ainsi en va-t-il de tous les autres chapitres. Et soudain, de les imaginer là-bas, au travail dans leurs ermitages, il a honte de ses titres et de ses banquets, si bien qu'au beau milieu d'une réception donnée en son honneur, une ombre vient parfois placarder son visage, planter ses clous aux quatre coins. Profitez de votre gloire, lui murmure alors Marie ou Nicolas, quittez cette tristesse imbécile. D'un geste de la main, il repousse leurs invectives, détourne les yeux. Ils tentent même de l'atteindre en lui parlant de la nouvelle pièce de Corneille dont on dit le meilleur. Son chef-d'œuvre ultime, précise Nicolas pour secouer sa stupeur, mais Jean reste inaccessible. Est-ce à cause du nuage noir que le vallon vient de jeter au-dessus de son existence futile ou de son ambition qui, désormais dénuée de rival à sa hauteur, marque le pas, ralentit son allure ? Ou des deux ?

Le roi lui manque. Il vient de passer cinq mois aux armées, d'où heureusement il est revenu sans blessure. Jean n'a aucune idée de ce que peut être la vie sur un champ de bataille. Il se la représente boueuse, humide, résonnant de toutes les prières dont les soldats implorent Dieu. Entre le roi et lui, les rôles sont répartis. À lui les ombres et les chimères, au roi les soldats, les chevaux, les canons.

Lors de son dernier siège, il a appliqué une nouvelle méthode de guerre, avec son maréchal ingénieur dont on dit qu'il a du génie. Jean ne l'a jamais rencontré, mais chaque fois qu'il entend le nom de Vauban il le jalouse. Il l'imagine aux côtés du roi, en selle ou à pied, dans l'action même de la conquête, en train de compter les morts ou les lieues, une complicité qu'aucune de ses pièces ne lui donnera jamais. En guise de combats, il n'aura jamais que les intrigues, les cabales contre les uns, les autres, les machines, l'opéra, les seuls moments de la vie qui donnent un semblant d'épaisseur à ce qu'il touche, bourrelet de terre sous son genou.

Depuis son retour, le roi veut célébrer, rassembler, avoir son monde autour de lui. Il ne souhaite plus courir les châteaux. Comme aucun roi avant lui, il fournit bougies et nourriture à tous et agrandit Versailles. Les dernières festivités avaient obligé trop de courtisans à dormir dans leur carrosse.

Il a expressément demandé qu'on joue l'*Iphigénie* de Jean lors de l'une des six journées qui doivent fêter ses dernières conquêtes. Il a également souhaité qu'on lui montre une comédie de Molière, mais sans Molière, quelle importance ? Au contraire, Jean se réjouit du contraste qui sera en faveur de sa tragédie, ode sublime dédiée au roi sublime.

Malgré la chaleur de l'été ou à cause d'elle, celui-ci a exigé le plus grand faste, des collations somptueuses, des jeux, beaucoup de fraîcheur. Jean n'a rien vu d'aussi grandiose que ces jardins-là, en dépit des travaux, des échafaudages un peu partout. À Marie qui s'extasie, il demande cependant plus de discrétion. Elle lui répond que M. Le Nôtre officie en même temps dans plusieurs châteaux de France et d'Europe, qu'on le sollicite de partout. Il est l'un des rayons du soleil qu'incarne le roi. Encore un, se dit Jean, qui les compte en les nommant, comme on effeuille une marguerite.

Ne vous en faites plus, mon ami, dit Marie, vous êtes aussi l'un de ces rayons. Les textes ne disparaissent pas plus que les arbres.

Tandis qu'elle s'éloigne vers le théâtre, Jean pense qu'un jour elle le quittera. Quand il ne lui écrira plus de rôles suffisants, quand il ne sera plus aussi renommé, plus aussi jeune. Elle ne quittera pas son mari, mais elle le quittera lui alors qu'il aura transformé sa vie, qu'ensemble ils auront partagé ce qu'il y a de plus intense entre un auteur et une comédienne. Combien de moments n'auront-ils pas eus loin des autres, immergés dans les tirades, ensevelis sous les syllabes, fouillant l'âme ensemble, avançant ensemble jusqu'au point de satisfaction, de justesse absolue ? Comme lorsqu'il la force à monter d'une octave au deuxième hémistiche d'un vers, parce que cette octave change tout, qu'elle dit la panique, le désordre. Jean se trouble un instant. C'est plus précieux que toutes les étreintes, admet-il, une matière plus solide que le butin volatil des soupirs. Il ne voit pas ce jour arriver comme une catastrophe.

Tous les orangers ont été sortis. L'air est gorgé d'un parfum fruité légèrement doucereux. On lui a expliqué que la floraison venait juste de cesser, qu'à un mois près sa tragédie eût été ornée de magnifiques fleurs blanches. L'image d'un parc entièrement nu le traverse : une terre grasse et rouge, une herbe verte, des boules de buis brun, pas de fleurs.

Les salles fraîches de l'Orangerie peuvent abriter autant de personnes que d'arbres en hiver, soit plus de mille, mais on dit que le roi envisage de l'agrandir encore. Jean aime penser que le roi accorde autant de prix à ses guerres qu'à ses fêtes, preuve que ses tragédies sont des lances aussi puissantes que celles qu'on forge dans le métal.

Le théâtre a été disposé au bout d'une allée bordée d'orangers, de grenadiers et d'immenses vases remplis de fleurs de lys. Des candélabres de cristal diffusent tout le long une lumière blanche qui vient buter contre un portique de marbre. Jean n'a pas conçu un tel éblouissement pour sa pièce, se contentant de la situer dans un camp militaire endormi au bord de la mer. Il concède cependant que, sans cette tache phosphorescente au fond de l'allée, la nuit n'eût pas tant ressemblé au jour. À lui la simplicité, au roi ce qu'il faut de pompe pour la faire scintiller. Un vertige agréable le saisit au moment de s'asseoir au premier rang.

Sitôt les applaudissements terminés, le roi se lève, redescend l'allée, tout le monde à sa suite. Un spectacle chasse l'autre. Comment être le seul à capter son attention? se demande Jean. Tandis qu'il se convainc de ne pas gaspiller ses forces à vouloir une chose impossible, on vient lui annoncer que le roi le convie à passer un moment avec lui, juste avant le feu d'artifice qui doit se donner au-dessus du Grand Canal.

Je voulais que le sublime soit au centre de ces festivités et je crois que nous y avons réussi, n'est-ce pas ? commence le roi.

Ce *nous* fond sur la langue de Jean comme un morceau de sucre.

Je connais vos réserves contre le faste, mais sur le plan politique, il n'est rien de plus utile. Sans compter qu'à moi, cette synthèse me plaît.

Le roi s'interrompt, compte sur ses doigts en répétant chaque syllabe de sa phrase.

Quand on sort de l'une de vos pièces, immanquablement, on est sous alexandrins, dit-il.

Jean sourit. Le roi ajoute que pendant les spectacles, les silhouettes de ses courtisans se découpent comme des ombres chinoises assises tout autour de lui. Il profite autant de ce qui se passe en scène que dans ces rangs dociles. Au moins, là, et pendant deux heures, personne à la cour ne bouge ni n'intrigue. Jean hoche la tête et comprend que, même pendant qu'on joue ses vers, l'attention du roi est toujours distraite par le fait d'être roi.

Allons voir mon feu d'artifice.

Au début des illuminations, Jean garde les yeux fermés et se concentre sur les canons qui tonnent et le bruit des lances à feu. Est-ce ainsi que sonne la guerre ? Puis il regarde monter les fusées, se dessiner les figures, le ciel se couvrir d'or. Une infinité d'étoiles plus brillantes que les étoiles scintillent un instant avant de retomber vers le bassin. On ne peut plus dissocier l'air ni de l'eau ni du feu. Ce divertissement est au-delà du faste, pense Jean, le roi est au-delà de tout.

Iphigénie triomphe à Paris. Le roi augmente considérablement ses charges. En plus de la statue qui prend forme, Jean sent que le bourrelet de terre sous son genou amorce l'acquisition d'un fief. Académicien, trésorier de France, quels titres lui reste-t-il à obtenir ?

Le petit marquis l'invite plusieurs fois dans son salon avec l'assurance de qui a connu le personnage glorieux quand il n'était rien, qui l'a vu grandir jour après jour et porte sur lui le regard tranquille dont on gratifie les plantes.

Vous voilà donc rassasié, anobli ? lui dit le marquis.

Jean reconnaît l'ombre narquoise qui voile son sourire et lui indique que, quoi qu'il fasse, quoi qu'il conquière, il n'aura jamais le privilège d'être né au même endroit de la terre que le roi et le marquis, c'est-à-dire très loin du peuple. Il entend aussi que rien n'amuse les bien nés comme ce combat qu'ils regardent chez les autres, plein de péripéties, de preuves et de revanche. Jean trouve désormais l'aplomb de faire comprendre au marquis que son salon perdrait en prestige s'il n'y venait plus du tout. Il n'a pas besoin d'ajouter qu'il n'en a nullement l'intention, le marquis l'a compris. Il dit soit, d'un air faussement vexé.

Jean ne trouve plus le temps de composer. Il vaque à ses affaires, pousse ses cabales avec Nicolas, décore ses appartements, avec un appétit matériel démultiplié. Seule Marie de temps en temps lui signale qu'elle attend son prochain rôle. Il se contente de lui dire qu'il viendra.

Dès la première phrase, Agnès évoque l'abîme, le poison. Elle ne prononce jamais le nom de Marie mais elle incrimine l'adultère, la fréquentation de ces gens trop abominables pour avoir droit à la communion, même sur leur lit de mort. Elle ne veut pas qu'il vienne la voir. Malgré l'habitude de ses réprimandes, Jean se trouble suffisamment pour que l'assurance qu'il donne à ses journées se relâche la nuit, le temps d'un rêve. Il va même jusqu'à se demander si, au-delà de l'habitude, il n'a pas développé une certaine accoutumance aux malédictions de sa tante, à la culpabilité peut-être féconde qu'elles déclenchent.

Une femme s'approche et lui confie qu'elle l'a adopté lorsqu'il avait six mois. Tout comme la Vierge, elle est sa mère immaculée. Elle en veut pour preuve qu'il était très malade quand elle l'a recueilli mais qu'aussitôt dans son giron, il a guéri. C'était comme ta naissance, dit-elle. Elle ressemble à sa tante. De cette fable, il ne discerne presque pas le délire. Si sa mère était la vierge, il ne peut être que le Christ. À quelques nuits de là, la même femme se représente. Elle n'a plus rien d'une vierge. Au contraire. S'il pouvait la toucher, Jean sentirait l'épaisseur d'un corps chaud et animal. L'homme était de l'autre côté de la porte, dit-elle. Plusieurs fois il est revenu, lui parlant de son amour, de cet appel ressenti au plus profond de l'âme, de ce partage auquel elle devait céder pour honorer l'injonction de Dieu. Plusieurs fois elle n'a pas ouvert, sa main pressant le bouton de la porte à en faire blanchir ses phalanges, que ses doigts soient si pâles, si translucides, qu'ils ne trouvent pas la force d'appuyer et d'ouvrir. Il se souvient du roman grec à cause de tout ce sang qui reflue. L'image de cette pâleur subite ne quitte pas son esprit pendant des semaines. Jean ignore par quel miracle et, comme sur commande, il rejoint, nuit après nuit, cette lune phosphorescente. De l'autre côté de la porte, précise-t-elle, le souffle de l'homme halète, s'entrecoupe, s'amplifie, traverse la cloison de bois. Et tous deux, séparés par une mer, entonnent le chant d'un amour interdit.

Au réveil, des douleurs le lancent aux jointures des doigts, au poignet, jusqu'à l'épaule, le laissent tout le jour flanqué d'un membre inerte et meurtri. Il marche d'un pas raide, signe ses paraphes de l'autre main, reçoit ses bénéfices, ses nouveaux habits, ses amis, tel un blessé de guerre. Quand on le questionne sur son mal, il se contente de dire qu'il a fait un mauvais mouvement et que cela passera. Il ne dit encore à personne que sa nouvelle tragédie racontera l'instant où la main de cette femme tourne enfin le bouton de la porte et lâche sur l'homme son désir. Comme un chien. Aurait-elle dû maintenir la porte fermée ? A-t-elle bien fait de l'ouvrir ? Au fond, il n'en sait rien. Tout ce qui l'intéresse, c'est cette mixture de frayeur et de pitié, cette pâte épaisse qu'il veut pétrir, dont il veut rendre le nerf, le conflit qui divise, scie l'être en deux. Le désir qui court à sa perte. Ce sera une tragédie sans aucun amour réciproque, plus cruelle encore que les précédentes, une pièce furieuse, sans galanterie, avec du sang partout.

Et son héroïne sera grecque. Les Grecques sont mieux reliées aux dieux, sans compter qu'elles disposent du minotaure, de l'espace fou du labyrinthe où les âmes se perdent et s'entortillent à leurs démons. Elle aura un désir saturé comme cette tache de lumière sur le marbre blanc de Versailles, ou les champs de blé d'Uzès, d'une blondeur si sèche et sans nuances, cet aplat massif, vibrant comme un carré de ciel sur la terre. La pièce entière sera tournée vers ce soleil sans rayons, un soleil blanc qui brûle ses derniers feux, soixante fois plus chauds que tous les autres feux. Avant de s'éteindre pour toujours. Ce sera donc la fille du Soleil, et dessous, elle fondra, laissera couler son désir comme une cire impossible à contenir, à refroidir.

Elle parlera plus que tous les autres personnages. Sur les mille six cents vers habituels d'une tragédie, il lui en donnera au moins le tiers, peut-être davantage, qu'il répartira en aveux, en imprécations tournées vers elle-même et en vœux de mort. Avec un rôle pareil, comment Marie pourrait-elle le quitter ? Il va la retenir encore auprès de lui, l'empêcher de folâtrer avec ses débauchés, lui offrir ce dont elles rêvent toutes, la gaver de grandeur et de majesté. Au moins cinq cents vers. Il l'imagine déjà tel un animal affamé les gloutonner, se jeter dessus, se reprendre après les indications, se rengorger devant son propre talent, être sa créature à son insu. Car Jean a ses yeux pour voir, il lui suffit de se détourner d'elle un instant pendant les répétitions pour que Marie se sente délaissée, abandonnée. Elle s'affaisse si subitement qu'elle est obligée de s'asseoir avant de bondir sur ses jambes quand il s'approche à nouveau. Elle ne le sait pas encore, mais il lui donnera cette chaise pour s'asseoir. C'est la seule indication de décor qu'il mettra dans sa nouvelle tragédie. Cette fois, il fera d'elle un monstre qui arrivera sur scène en criant : *J'ai dit ce que jamais on ne devait entendre.* Ce qu'elle dira ensuite, il ne le sait pas encore mais il note cet aveu hurlant. Même sa tante du fond de son vallon l'entendra, horrifiée, mortifiée, malade de cette extravagante hérésie qui fera venir Hamon à son chevet. Dans le froid à peine éclairé de sa cellule, ensemble ils se demanderont comment Jean en est arrivé là et se noieront dans les prières.

Il lui faut choisir son lieu, son époque, ses personnages, et travailler en secret. Tout le monde le guette, prêt à fondre sur la même histoire que lui. Ses pièces sont désormais des secrets de guerre. Quand on commence à le questionner, il met un doigt sur ses lèvres, sourit. Les dames lui demandent s'il y sera au moins question d'amour, il répond oui, mais d'une manière inhabituelle.

Sur sa main, le soleil frappera. Ce sera Phèdre, la fille de Minos et de Pasiphaé. Celle d'Euripide, de Sénèque. Son choix fait, Jean se surprend souvent à regarder Marie en se demandant si elle pourra jouer un tel déchaînement, pareille folie. Il ne lui a encore parlé de rien. Quand elle intercepte son regard, elle s'étonne, mais il se tait, n'en dit mot qu'à Nicolas.

Encore une femme ! s'exclame-t-il.

Mais il n'y en a pas eu depuis longtemps ! proteste Jean.

C'est vrai, mais c'est plus fort que vous, n'est-ce pas ?

Celle-là sera plus grande que toutes les autres, vous verrez.

Il érige deux murs. Des murs comme des enceintes qui enferment, retiennent, et qui, lorsqu'elles cèdent, lâchent des flux torrentiels, des désirs d'autant plus violents qu'ils ont rejailli dans l'aveu. À la blancheur de l'écume bouillonnante répondra la blancheur du soleil qui cuit les âmes et les corps.

Jean déroule son plan de papier à même le sol car sa table n'est plus assez grande. Il tourne autour, s'agenouille devant, au point de ne plus sentir la chair de ses genoux sur la pierre froide. Aux importuns qui le demandent, sans exception, il ordonne de revenir plus tard.

Toute l'action sera construite sur deux aveux massifs : le premier à la confidente, le deuxième à l'aimé. Oui, un aveu après l'autre, presque en cascade, quasi au même endroit du premier acte et du deuxième, sans compter les aveux d'Hippolyte, en symétrie parfaite. Ainsi il répartira la faute, la rendra plus légère. D'ailleurs, sa tragédie s'intitulera *Phèdre et Hippolyte* pour que cette symétrie saute aux yeux et qu'on n'aille pas encore lui reprocher de ne parler qu'aux dames. Il ne veut pas que sa Phèdre soit une idole qu'on brûle, elle gardera son innocence, elle ne sera pas entièrement coupable, innocente et coupable, bonne et mauvaise à la fois. Elle sera l'humanité tout entière, déchirée, ensevelie sous les généalogies, précédée et excusée par ceux qui font le mal depuis longtemps, depuis toujours, depuis que le monde est monde. Vénus tout entière. Avec une chaise pour commencer. Il devra le signaler au décorateur, insister : une chaise et rien d'autre.

Un soir, il dépose sur l'assiette de Marie un feuillet avec la première tirade de son rôle. Marie le déplie d'une main fébrile, commence à lire, se réjouit, dit qu'elle veut la suite très vite. Mais quand il lui en donne une suite, elle change d'humeur.

Il faut au moins la complicité de tous les dieux grecs pour expliquer une telle fureur. Je connais l'amour, dit-elle, je vous aime comme j'ai aimé d'autres hommes…

Comme vous en aimerez encore.

Je n'ai jamais voulu mourir à cause de l'amour.

Alors pourquoi les Anciens ont-ils tant écrit sur ce mal ? Pourquoi les plus grands poètes du monde se sont-ils fatigués à raconter cette histoire ?

Parce qu'elle fait de bons poèmes.

Les bons poèmes se nourrissent à la source vive.

Vous ne pensez pas ce que vous dites. Vous-même, vous allez faire votre marché chez Euripide, un vers par-ci, chez Sénèque, un vers par-là. Tenez, « C'est toi qui l'as nommé », vous l'avez recopié mot pour mot, n'est-ce pas ?

Oui.

Alors ne me parlez pas de source vive. Votre Phèdre est pathétique. La passion amoureuse n'est pas une fatalité. On peut décider d'en sortir.

Et comment ?

En le décidant.

Jean lui reconnaît du mordant, de la pénétration, mais ne supporte pas ce ton péremptoire avec lequel elle dispense ses verdicts, cette façon qu'elle a de tout concevoir à son image. Il ne s'inquiète pas pour sa Phèdre, ne s'énerve pas, la laisse parler. Même avec ses réserves, Marie la jouera parfaitement. À cause de ses réserves, de ce sens des réalités qui lui font d'abord considérer l'avantage d'un triomphe.

Jean a divulgué son secret. À présent, il montre des pans entiers de sa pièce à Nicolas, à son éditeur, les supplie de ne faire preuve d'aucune indulgence, de lui signaler toutes les fautes qu'il peut avoir commises contre la langue. Il répète *contre* la langue, exprès. Cette fois, il aspire à un texte parfait. Il s'exalte, cette pièce le mènera plus loin que toutes les autres, il ignore où mais plus loin ; il est en train de bâtir un monument si grand qu'il sera capable de contenir tous les monuments d'Athènes et de Rome, tout Euripide et tout Virgile. Le plus grand monument pour le plus grand roi du monde.

Vous auriez peut-être dû choisir autre chose que cette folle incestueuse ? suggère Nicolas.

Non, rappelez-vous Aristote, dit Jean, c'est au cœur des alliances les plus serrées que les conflits sont les plus forts. Sur quoi voudrais-je écrire d'autre ?

Personne n'accorde de réelle importance au calvaire de son héroïne. Et quelquefois, à son insu, il se surprend à partager le même avis. On peut décider d'en sortir, se répète-t-il en entendant les belles inflexions de la voix de Marie. Aucune de ses héroïnes n'a jamais décidé d'en sortir. Quand il tâtonne, marche autour des figures qui l'inspirent, quand il va fouiller les Anciens, jamais il ne trouve trace de cette possibilité. Les héroïnes renoncent, abjurent, mais aucune ne décide. Il s'y penchera plus tard. Marie est faite d'un bois étrange qu'il se promet de découper un jour, cette matière sèche où les décisions ne suintent jamais dans la chair, où les dilemmes se dissipent naturellement dans le temps, où l'on ne peut vouloir une chose et son contraire. Il n'y a qu'à la regarder vivre sans se torturer, avec son mari d'un côté et lui de l'autre.

Son texte fini, il choisit ses acteurs. S'il demande des acteurs jeunes, il a des acteurs jeunes. Il ne veut plus de musique toute faite, il compose les répétitions comme il a composé ses vers, entre la prose et le chant, d'après la musique qu'il entend lui, qu'il est le seul à entendre. Il ne supporte ni la contradiction ni la plainte. Il commande tout, le décor, les lumières, le moindre déplacement. Le décorateur souhaite installer un fauteuil sur scène, Phèdre ne peut pas se contenter d'un simple siège. Jean insiste, hurle, une chaise et rien d'autre !

C'est un succès et une surenchère de calomnies. Ce n'est pas de l'amour, vous ne nous aviez pas habituées à cela, se plaignent les dames. Vous empoisonnez les âmes, l'invectivent les messieurs. Une autre tragédie talonne la sienne, celle de Quignault, toute grouillante de vers, battue de courants d'air. Les caractères sont ineptes, ajoute Nicolas, tandis que chaque fois que votre Phèdre à vous meurt, c'est toute l'âme humaine qui s'amenuise.

Personne ne voit qu'il a tissé ensemble culpabilité et innocence pour qu'au sommet du péché son héroïne ait une chance de salut. Ce sentiment qu'il a eu de gravir une montagne en poussant l'antithèse jusqu'au bout, en faisant de sa Phèdre le plus ardent des oxymores, il est seul à le concevoir et à l'éprouver dans cette débâcle, cette fatigue qui l'ensevelit. Partout on encense ses vers, mais on blâme son goût du vice, de l'inceste et du mensonge.

Cette fois, j'en ai assez, dit-il à Nicolas.

C'est moins grand que ce qu'il avait imaginé, même les arbres semblent moins hauts. Les bâtiments y sont plus décatis, le son des cloches plus sourd que dans son souvenir. Il n'y a plus guère d'enfants dans les coursives mais des silhouettes usées, courbées par les pénitences et l'humidité. Après quelques années de clémence, on dit que le roi a renoué avec sa haine.

Au parloir, sa tante est là, comme s'il l'avait quittée la veille. La publication de sa dernière pièce dépasse les bornes, lui ouvre en très grand les portes de l'enfer. Ils ont tous constaté une gradation, un poison de plus en plus violent, sans compter que le théâtre est impie, mais cela, vous le saviez déjà, précise Agnès. Vos maîtres vous attendent.

Il l'écoute sans protester, se dit que le poison est l'autre nom de la vérité. Sa peau s'est asséchée.

Des rides ont envahi son visage, jusqu'à ces reliefs rugueux qui vérolent son menton. Pourtant, il a envie d'y porter la main. Il la revoit comme elle était, quand, enfants, se mêlaient leurs cheveux. Malgré les années, les reproches, sa tendresse pour elle n'a pas bougé.

Les mêmes tableaux sont accrochés aux murs de la galerie, mais Jean avise tout de suite le portrait du roi qui autrefois n'y figurait pas. Déjà en cercle sur des chaises, ses maîtres l'invitent à s'asseoir. Il a pris soin de se vêtir sobrement malgré le velours, les rubans, les matières chaudes et onéreuses qui contrastent avec leurs habits élimés. Jean a perdu l'habitude de la maigreur, de tous ces os visibles et saillants aux pommettes, aux phalanges.

On ne lui dispense ni paroles superflues ni marques d'affection, personne ne l'appelle « mon fils », personne ne lui tend la main. Seul le fond des yeux de Hamon verse sur lui un peu de douceur quand il lui dit qu'il redouble de prières pour son âme. Le grand Arnauld annonce qu'il va bientôt devoir s'exiler, Lancelot qu'il est spécialement venu de Bretagne pour le voir, lui demander de cesser. Personne ne peut imaginer une seconde que sa vie ait changé, ni encore moins le fond de ses pensées. Personne n'ose croire que les rébellions du petit Jean se soient suffisamment développées pour qu'il renie ce qui l'a distingué. Personne, même après dix pièces. Et pour cause, l'énergie qu'il met dans ses cabales, ses préfaces, ses intrigues, fond comme une neige sous leurs regards sévères, leur vocabulaire, cette façon d'entrelacer leurs phrases à des formules grecques. Partout dans le royaume, on est suspect quand on sait le grec, sauf ici.

Jean baisse la tête.

La peau de Hamon plisse sur les longs os de ses doigts, de ses poignets si fins, lui qui, autrefois, avait des mains larges et fortes. Toutes les matières qui lui donnent forme humaine se sont amenuisées. Il n'en restera bientôt plus trace et, dans un souffle, il disparaîtra. Jean n'éprouve plus aucun agacement pour lui, au contraire, sa tendresse afflue, comme le sang dans la tête d'un corps qui se renverse. Sans arrogance, Jean écoute, ne se justifie pas, ne plaide pas. Il est là et c'est tout.

Ici.

Il ne peut continuer à vivre de cette façon, répètent-ils, et malgré leurs litanies froides, Jean se sent accueilli, élu, au milieu d'un cercle de braises dont il goûte une chaleur pénétrante à la limite du supportable. De ces sensations trop intenses pour que le plaisir se détache de la douleur.

Quelques jours plus tard, il quitte Marie. On ne le verra plus jamais au bras d'une comédienne. C'est son tribut. Marie retourne à son mari, ses autres amants, tout en disant à Jean que ses fanatiques ont encore eu raison de lui mais qu'elle sera toujours son actrice *si besoin était*. Elle prononce ces derniers mots avec une incrédulité glaçante :

Je ne vois vraiment pas quel rôle vous pourriez créer après Phèdre.

Jean veut prendre cette remarque pour du dépit.

Les premiers temps, si son odeur, sa voix, sa présence lui manquent, il combat l'animal pathétique en lui, actionne tous les leviers qui dressent contre la tristesse les barrages les plus hauts.

Parmi eux, le roi, la passion du roi, un ciel où resplendir à côté du soleil. Il répète à l'envi, je suis un homme qui passe sa vie à penser au roi.

Vous me rappelez cet hérétique hollandais, lui dit Nicolas, celui dont s'est entiché Condé, celui qui a eu l'audace d'écrire *Deus sive natura*.

Comment osez-vous ? s'emporte Jean en faisant voler quelques livres à travers la pièce.

Deus sive rex, poursuit Nicolas. Certaines équivalences ont l'art de réduire chacun de leurs termes à néant, n'est-ce pas ?

À ses sarcasmes sans incidence, Jean répond quelques jours plus tard par la nouvelle rumeur qui court à leur sujet. Le plus grand roi du monde mérite qu'on s'y consacre entièrement, dit-il. Tout doit être prêt à son retour, quand il rentrera de sa campagne de Hollande. Intrigué, Nicolas s'approche.

Il veut être le premier à utiliser des poètes.

Il veut surtout nous contenir, brider la bête noire à travers nous.

Le roi est aussi jaloux que le Dieu caché qu'il déteste.

Il veut répandre sa langue sur le reste du monde.

N'est-il pas poète au fond ?

Un jour, nous serons disgraciés.

Toute la nuit, Jean et Nicolas envisagent les raisons pour lesquelles le roi les pensionnerait pour écrire son histoire. Leurs arguments se répondent avec sagacité, cynisme, désinvolture. Parfois, ils s'enchaînent en restant sourds l'un à l'autre. Souvent, entre leurs répliques, leur joie monte, déborde, charriant avec elle le rire, l'ivresse que donne la surface des choses, là où la vanité bat son plein, en profite, savoure.

Vous veillerez sur nous ? demande Jean.

C'est mon devoir d'aîné, répond Nicolas.

Dans ce cas, je dois songer à me marier.

Son cousin lui présente une jeune femme de vingt-cinq ans, dotée d'un bien conséquent et d'une bonne éducation. Elle n'a jamais lu ou vu ses tragédies, n'en connaît l'existence que par de vagues conversations, mais c'est exactement ce que voulait Jean : qu'ils soient comme neufs l'un pour l'autre et sans passé. Jean la trouve à son goût, ne se pose pas la question de l'amour et l'épouse le lendemain du retour du roi. La veille, il a pris soin de faire décrocher l'immense portrait en pied de Marie, a songé le lui faire porter mais l'a finalement remisé dans ses archives, la face tournée contre le mur.

Au bas du contrat de mariage avec Catherine, s'alignent les signatures les plus étincelantes du royaume. Jean se réjouit à l'idée qu'on puisse avoir plusieurs vies tout en devinant que les virages ont souvent l'impulsion des retours.

Le roi fait jouer sa *Phèdre et Hippolyte* au Palais-Royal. Dès le lendemain, Jean reçoit un message dithyrambique et une demande d'éloge officielle, préalable à l'examen de leur candidature. Une voiture viendra les chercher. Ils disposeront du trajet jusqu'à Fontainebleau pour faire leurs preuves.

Ils n'ont ni mangé ni dormi depuis des jours. Nicolas commence puis c'est au tour de Jean et ainsi de suite. Leurs voix ne tremblent pas. Ils se sont tant exercés que leurs lectures se relaient sans le moindre accroc. L'air humide et boisé de la voiture les pique suffisamment pour attiser leur vigilance. Le roi écoute sans se troubler. Quand ils ont fini, il applaudit trois fois, pas une de plus. Ils se regardent sans se sourire.

En quittant la voiture, Jean et Nicolas marchent silencieusement. Chaque pas écrase un matelas de mousse épaisse sous leurs semelles, et malgré tout ils sont comme à des mètres au-dessus du sol. Ils n'osent rien se dire. Jean vient de laisser à l'intérieur du carrosse royal des pans entiers de son existence. Sa vie n'est-elle finalement pas une suite d'enfermements ponctués de sorties au grand air, comme ces arbres en pot de l'Orangerie qu'on rentre et qu'on sort selon la saison ? Le souvenir de cette soirée lui revient, le submerge. C'était le début, c'était mon autre vie, je n'étais encore qu'un auteur parmi les auteurs, se dit-il, et j'attendais. Rien à voir avec cette sensation de miel qui coule au fond de son ventre, cette attente désormais comblée. Au point qu'il se demande parfois s'il ne cultive pas ces dilemmes et ces écartèlements pour le plaisir de goûter plusieurs existences en une, être ici et là-bas.

Les deux amis se regardent enfin. Leurs yeux bavent comme des commissures. *Nec pluribus impar*[1]. L'action royale est infinie. Ni les faits ni aucune formulation ne l'épuisent. Chaque année, chaque mois, chaque journée, nous présentera de nouveaux miracles, se répètent-ils, mais réussirons-nous à les dire ?

Quelques jours plus tard, le roi rédige une ordonnance de paiement qui leur accorde six mille livres à chacun « en considération des divers ouvrages auxquels ils travailleront par son ordre ». Dans la foulée,

---

1. *Au-dessus de tous.*

il annonce qu'il va définitivement s'établir à Versailles. C'en est fini des transhumances et des expéditions, pense Jean, la gloire de son action a besoin d'unité, comme une pièce.

Les deux pieds dans la boue, Jean discerne, à travers l'haleine chaude des chevaux, la pluie glacée du Nord qui fouette les visages et les corps. Que ses rivaux se réjouissent. Que les machines cliquettent, tintinnabulent dans tous les théâtres de Paris, il s'en moque. Qu'est-ce que le théâtre à côté de ces armées de corps réels et souillés ? Chaque matin, il s'éveille en se disant qu'il sert le roi, qu'il est dans ses batailles et dans ses guerres, que le reste ne compte plus.

Vous n'écrirez rien là-dessus, n'est-ce pas ? lui dit-on quand on le surprend à regarder de trop près les écheveaux de loques et de peau.

Bien sûr que non, répond-il.

Si les mots ne viennent pas se marquer sous sa plume, il les entendra courir entre la penne et le papier, y déposer leurs vibrations, leurs couleurs, toutes ces nouveautés dans sa vie de chasseur d'ombres enfin admis dans le monde des vivants. Lui qui ne connaissait des batailles que leurs hypotyposes, voilà qu'ils les regardent de face et de l'intérieur, avec l'odeur du crottin et du sang sans cesse à ses narines.

Pour accomplir sa nouvelle mission, il fait comme on lui a appris. Il relit Tacite, s'immerge dans la géographie des territoires, les cartes et les traités de stratégie militaire. Il note le nombre des rivières traversées, la hauteur des reliefs, les distances parcourues, le temps que met le roi d'un point à un autre. Ceux qui se moquent de son nouvel emploi ignorent à quel point il peut défier ce qu'il sait, changer de méthode, quitter la poésie pour tous ces champs du savoir qui s'ouvrent à lui. Il sent ce vent large et ample qui le saisit par en dessous, le soulève, l'amène à des confins qu'il n'avait pas encore arpentés, dont il avait à peine appréhendé la probabilité. Quand, lors d'une conversation de courtisans, quelqu'un décrit sa mission en ces termes : « Il ne faudrait ni fable ni fiction pour mettre le roi au-dessus des autres ; il ne faudrait qu'un style droit, pur et net », Jean se promet qu'il sera celui-là. Il veut savoir tout écrire, être la preuve vivante qu'il existe un art d'écrire universel. Et quoi de mieux pour cela que de se donner le sujet le plus infini, le plus inépuisable, le roi, ses miracles, son existence inénarrable ?

À cause de la santé de plus en plus fragile de Nicolas, c'est Jean qui, la plupart du temps, accompagne le roi en campagne. Mais les moqueries visent toujours la paire qu'ils forment. Circulent des gravures, des dessins qui les représentent tous deux tombant de cheval, défaillant à la première goutte de sang, s'égosillant dans la tranchée. Pourtant, à l'exception d'une campagne où Jean a vu le sang couler pendant près de huit jours – un sang brun et gras qui se mêlait à la boue, dont on ne savait plus s'il émanait des corps ou des entrailles de la terre et qui a forcé Jean à questionner les médecins du roi sur la profondeur des plaies, les risques de gangrène, jusqu'à se faire rabrouer par l'un d'entre eux : jamais aucun historien du roi avant lui n'avait eu autant d'yeux pour cela. Son rôle n'était-il pas de transformer la boue en or et non le contraire ? – les actions menées par les armées du roi ne sont qu'entrées solennelles dans des villes et visites de places fortifiées. Jean n'est pas moins fasciné. Il regarde ces mouvements comme des danses à grande échelle que le roi mène avec un enthousiasme grave, donnant à chacune de ses foulées la portée d'un paraphe. Il aime voir un geste, un mot, un regard devenir sous ses yeux cérémonie, symbole. Le roi entre, foule, touche, effleure, et délivre chaque fois un peu de sa substance radieuse et infinie, *urbi et orbi*. Et malgré toutes les préventions dont son esprit est capable, Jean ne peut nier qu'il perçoit, peut-être encore plus charmé que les autres, les éclats de cette poudre finement pailletée. Comme ce jour où, avec la cour, il s'est avancé en direction de la dauphine, venue de Bavière.

Aux limites du royaume, dans l'élan du baptême, le roi s'est détaché du rang pour marcher seul. Il a tendu le bras vers elle et, dans cette jonction, Jean a reconnu la pulsation de l'histoire en train de se faire, là, devant lui, le destin de toute la nation, sous ses yeux pleins de larmes et de fascination, un simple moment se transformer en date historique. Seul Nicolas a partagé son émotion, seul Nicolas a compris quand il lui a raconté ce miracle. C'est d'ailleurs tout ce qu'il demande, qu'une personne au moins le comprenne pour que cette admiration ne lui monte pas à la tête, qu'il puisse en parler, la ventiler dans des lettres, des confidences.

À son épouse, il ne fait jamais aucun récit. Il rentre, écoute attentivement ce qu'on lui dit de la maisonnée, s'enquiert et garde en lui sourds et jaloux tous les faits extraordinaires auxquels il a assisté. Car sa vie est désormais clairement scindée : il y a d'un côté cette épopée intense, de l'autre cette construction tranquille. Il n'a nul besoin de choisir entre l'une et l'autre. Il peut tout avoir en même temps s'il consolide jour après jour les cloisons entre ses mondes. Et pour savourer cette plénitude, quand il revient d'un long séjour à la cour, Jean aime prendre Catherine avec violence, ce qui, chaque fois, la désarçonne, la choque même, mais que sa pieuse docilité l'empêche seulement d'évoquer. Dans ces assauts sans passion, Jean fait valoir ses arrières, ses acquis, son droit à la postérité totale : comme il a écrit ses tragédies, désormais il fait des enfants. Son premier fils naît. Il ne l'appelle pas Louis mais Jean-Baptiste, un prénom simple et bourgeois.

Depuis l'arrivée de la dauphine, le roi fait souvent rejouer les tragédies de Jean, qui n'a pas d'autre choix que d'y assister. Il préférerait en être dispensé, mais sa seule liberté, c'est de ne plus mettre les pieds dans les salles parisiennes ou de n'écouter que d'une oreille les commentaires abondants de la jeune femme. Il regarde et entend ses pièces comme on se souvient d'un être aimé avec froideur. Jusqu'au jour où la cour rappelle Marie pour qu'elle joue sa Bérénice.

À l'acte II, Jean se trouble et quitte la salle précipitamment, Nicolas à ses basques.

Le chagrin est une fièvre qui a ses redoublements et ses suspensions, dit Nicolas.

Quel chagrin? demande Jean. Je suis un homme comblé.

Mais sa nausée monte d'un coup comme lorsqu'il était enfant. Sous le regard compatissant de son ami, il vomit une substance amalgamée, indéchiffrable, en espérant que le jour vienne où il pourra tout entendre, tout supporter. Quand il reprend ses esprits, il lui semble entendre bourdonner à ses tempes une rumeur lointaine et sourde, celle de ses héroïnes, rassemblées, unies dans leurs pleurs et leur colère. Hermione, Agrippine, Bérénice, Roxane, Monime, Phèdre… En voyant Marie redonner chair à seulement l'une d'elles, toutes ont resurgi. Toutes ces femmes qu'il a créées pour relayer le chant de Didon, cette plainte universelle et réprouvée, se massent soudain devant lui, l'encerclent, l'implorent, telles des sœurs orphelines, des maîtresses deux fois abandonnées.

On ne quitte jamais impunément ce qu'on a aimé, dit Nicolas.

Quelques mois plus tard, Jean acquiert son premier bien. Il regarde, arpente, calcule avec un bonheur neuf, celui de voir sa famille se déployer dans un espace propre, enfin établie, protégée, guidée par une mère qui n'a qu'une seule vérité à transmettre. Son établissement ne dépend désormais plus ni des gazetiers ni des alexandrins. Il prête de l'argent, essaime sa créance, dispense sa charité, devient chef de clan. Il s'en félicite, confie à Nicolas qu'après toutes ces années, il a enfin réussi à allier le sublime et la sécurité. Nicolas rectifie, vous voulez dire, le faste et le fief. Quels que soient les mots qu'ils emploient, leurs deux esprits visualisent en même temps la géométrie de la prospérité : l'aspiration et le déploiement, gravir et s'étendre. Son existence n'a-t-elle pas la force d'une croix au milieu de laquelle il se tient, en parfait équilibre ? Si ce n'est que le nom de Jean commence à être cité dans une vieille affaire où il n'est question que d'enfants naturels, d'empoisonnements et de sorcellerie. On l'accuse d'avoir causé la mort de Du Parc, qu'il a tant aimée, d'en avoir eu une fille, d'avoir étouffé l'affaire. Il reste des jours à ne plus pouvoir respirer, le souffle coupé par les allégations, les visions et, plus encore, par les risques de sanction. Cette ardeur insensée qu'il n'a cessé de déclamer devient l'objet d'un blâme national, passible des plus grandes peines. Il se met à détester ses héroïnes, les désavoue à tout bout de champ. Il cite leurs noms, les condamne devant Nicolas, qui s'étonne de la réalité qu'elles prennent soudain, de leurs corps qui bougent sous leurs yeux.

Oubliez-vous que vous les avez toutes inventées ?

Justement, je rage contre ce qui en moi les a sécrétées comme des…

Mais le roi constitue un tribunal spécial qu'il baptise Chambre ardente. Par l'action des lois et de la justice, on l'innocente, mais ce feu a failli tout emporter sur son passage. Le soir même du verdict, assis à la table familiale, pendant que sa famille récite le bénédicité, il baisse le front vers son cœur, se rassemble de toutes ses forces et fait vœu éternel contre l'ardeur.

Les cloches sonnent, les canons tonnent, parfois ensemble, parfois successivement. Trente mille hommes ont envahi le corps de la ville depuis l'été, partout nichés, partout pressants, sur le pied d'une guerre qui menace sans se déclarer. Ne reste au roi que l'honneur de poser une main sur sa nuque pour la faire pivoter sur son axe, comme on remet une vertèbre en place, d'un coup sec, magistral. Et de faire frapper une médaille pour célébrer la victoire : *Clausa Germanis Gallia*, la Gaule fermée aux Germains. Se détournant de la Rhénanie, Strasbourg ne regarde plus désormais que vers les Vosges. Il suffit au roi d'entrer dans la cathédrale pour que ce soit chose faite.

Jean ne raconte pas le siège dans son détail, passe sur les brutalités et s'en tient à la parfaite unité des actions, toutes commandées d'une seule main, de conserve, sans le moindre accroc. Il doit rendre ce moment unique, contenir les images et les figures qui lui viennent naturellement et qu'il laisse d'abord couler pour ensuite tailler, retirer, réduire le bouillon de mots et n'en garder que les dates, les heures, la stricte observance d'un calendrier. Le triomphe sera plus fort s'il vient clore une série de faits logiques, emboîtés, parfaitement pensés et agencés.

Nicolas fronce les sourcils au-dessus de ses pages. Il épingle leur sécheresse, leur trop grande rigueur, mais Jean contre-attaque, il fait valoir la grandeur d'un style qui se régule tout seul, se contient, net et droit.

Bien sûr, dit Nicolas convaincu, bien sûr.

Il me reste à décrire une dernière chose.

Jean traverse la pièce, lui reprend ses pages et lit à haute voix ce qu'il se met à noter :

« Sa Majesté demanda à M. Vauban de concevoir un plan de fortifications exceptionnel. "L'excellence des défenses de Strasbourg doit la rendre invincible", énonça-t-il de sa voix impérieuse. Il lui donna dix jours. L'ingénieur s'exécuta comme il se doit et, après que le roi lui eut donné son plein accord, mit son plan en action. Il fit venir trois mille hommes pour construire la citadelle, trois cents bateaux depuis Brisach. Les pierres étaient jetées. Le 23 décembre 1681, Vauban put quitter Strasbourg. » Vous avez entendu ? Tout s'enchaîne, tout aboutit, c'est une action parfaite, dit-il d'un air content.

Notre mission sera plus difficile encore lorsqu'il nous faudra relater les défaites.

Il n'y aura jamais de défaite.

Grand roi, cesse de vaincre ou je cesse d'écrire ! s'exclame Nicolas.

Jean hésite. Il n'a pas la même agilité que son ami en matière de satire, désormais moins que jamais. Les années n'ont pas suffi à amenuiser le balancier qui menace à tout instant de se dérégler pour tout prendre ou tout laisser.

Au fur et à mesure des déplacements, Jean exerce son œil. Il comprend qu'une armée est constituée de milliers de corps rassemblés, que dix ou vingt mille hommes, c'est toujours un corps plus un corps plus un autre corps… À l'intérieur des bataillons glorieux, il discerne des vagabonds et des misérables enrôlés de force pour grossir les troupes. Il découvre aussi les magasins et les chariots de ravitaillement, toute la trivialité qu'il y a sous une victoire, un haut fait du roi. Les fantassins sont en réalité multiples et désobéissants, serviles et stupides, paresseux et affamés. L'effet de groupe n'a rien à voir avec le détail. Il suffit de mettre le pied sur un champ de bataille pour découvrir qu'une foule, c'est un désordre, des humeurs, de la crasse, ce qu'on ne perçoit ni dans une troupe de comédiens ni dans un ballet de cour. Un bon capitaine doit maintenir l'agressivité de ses hommes à distance de la barbarie.

Chaque bataille, chaque siège, donne lieu à une trace dans la pierre. Chaque fois Vauban réussit à ériger des remparts qui protègent les villes et les provinces acquises. C'est une merveille. À l'endroit où sont passées les troupes, s'élèvent des murailles qui créent l'illusion que les soldats sont toujours là, massés, aguerris, prêts à s'élancer vers l'ennemi.

Le roi convie Jean et Nicolas jusque dans son lit lorsqu'il est souffrant pour qu'ils lui fassent la lecture de son histoire. Ils se relaient, comme ils savent faire, mais au fil des mois, la voix de Nicolas s'éraille, manque, et c'est celle de Jean qui, plus belle et plus forte que jamais, restitue, dans l'espace du cabinet ou de la chambre, l'ampleur des batailles et des cérémonies. Son épouse hoche la tête et se félicite de ce choix absolument moderne et détonnant : deux poètes valent mieux que tous les historiens. Une fois pourtant, le roi conclut la lecture de Jean, venu seul, d'une manière qui le surprend :

Je vous louerais davantage si vous ne me louiez pas tant.

Jean file chez Nicolas et lui annonce qu'ils doivent fourbir de nouvelles stratégies pour faire disparaître la louange, louer sans y paraître, former des discours toujours plus indirects, détournés comme des rivières, des fleuves énormes, mine de rien, des miroirs qui reflètent l'image du roi à l'infini mais qui ne le montrent pas devant, en train de poser. La galerie des Glaces devient une sorte de modèle absolu.

Outre les miroirs, chacun de nos portraits, renchérit Nicolas, doit être en creux celui du roi. Qu'il s'agisse d'un maréchal ou d'un abbé, c'est toujours du roi que l'on parle.

C'est de l'obsession ajoutée à de l'obsession, une trame de plus en plus serrée qui donne du sens à l'existence, à chaque pensée, chaque virgule.

Il y a une tache dans ce soleil, lui dit-elle d'emblée.

Jean s'est levé à l'aube pour faire sa visite à sa tante. Son temps est compté mais, dans la douceur de ce matin d'été, il s'est avancé vers le parloir sans ennui ni pesanteur, d'un pas léger.

Ce sont des mots que Jean a déjà lus sous la plume d'Arnauld, exilé loin du vallon. Agnès ne s'inquiète plus pour le salut de Jean puisqu'il a enfin choisi une existence digne et pieuse, remisant le théâtre, les actrices et le stupre. Dans la façon qu'elle a de prononcer le mot stupre, il entend la haine et la peur. Elle évoque les foudres du roi à l'encontre de l'abbaye, la menace d'étranglement, la suffocation. Elle lui apprend qu'on interdit désormais la venue de nouvelles converses, que tous les messieurs sont partis, à l'exception de Hamon.

Si vous les aviez vus sortir nos postulantes comme des malpropres, des filles de rien, leurs robes si blanches souillées par la boue et la bave de leurs chevaux, précise-t-elle. Les ombres de ce soleil que vous encensez se déposent et grandissent chez nous.

Troublé, Jean lui assure que le roi n'y est pour rien, que ce sont ses conseillers jésuites qui exercent leur malveillance mais qu'une fois de plus l'orage passera. Il fait valoir son statut, les efforts qu'il mettra à convaincre le roi de s'adoucir car un tel soleil ne tolère pas de tache.

Quand cesserez-vous donc d'être si dupe ? demande placidement sa tante.

Il clôt la séance et s'éclipse. Il n'y a d'ombres et de taches, se répète-t-il, que dans des esprits plongés dans la nuit. Au loin, dans le parc, il aperçoit la silhouette de Hamon. Il s'arrête, se cache derrière un arbre, regarde. Il se demande pourquoi l'action des corps ne répond pas à des impulsions plus simples, pourquoi il n'a pas envie d'aller vers le vieux médecin, comme lorsqu'il était enfant. Pourquoi les sentiments disposent-ils en nous des déviations constantes ; au centre des roues qui nous mènent, des milliers de bâtons ?

Il reprend son chemin et gravit les cent marches. D'autres questions affleurent qu'il foule nerveusement, en accélérant le pas. Serait-ce parce que l'autre

Dieu demeure désespérément caché, parce qu'il prive inexorablement les hommes de ses faveurs, que celles du roi, coulantes et lumineuses, comptent double, triple ?

Il n'a qu'à relire les pages de Pellisson, le précédent historiographe du roi, pour s'en convaincre.

Le jeune roi n'a que vingt-quatre ans. Il a forcé tous les autres souverains européens à assister aux excuses que l'Espagne lui doit pour avoir fait passer le carrosse de son ambassadeur devant celui du royaume de France. Ce ne sont pas seulement des excuses mais un geste du ciel, une bénédiction, une révérence, la mortification consentie de tous les autres royaumes à l'endroit du premier de la chrétienté. Dans l'enceinte du palais, toutes les têtes s'inclinent devant la sienne.

Quelques mois plus tard, il va encore plus loin : devant la foule rassemblée au Carrousel, le roi porte une cuirasse en brocart d'argent et d'or. Il n'y a pas seulement la cour et les Parisiens mais tout le pays enthousiaste à l'idée de constituer une nation et de la voir gouvernée par une vigueur si éclatante. Le roi tient dans sa main un écu, *Ut vidi vici.* Dès que j'ai vu, j'ai vaincu. Il fait corps avec cette devise. Il ouvre le premier des cinq quadrilles. Jean ne se souvient même plus ce qu'il faisait pendant ces deux jours de gloire mais il connaît par cœur les lignes que le roi a dictées à son historien d'alors : « On choisit pour corps le soleil qui, dans les règles de cet art, est le plus noble de tous, et qui est assurément la plus vive et la plus belle image d'un grand monarque. »

Quelques jours plus tard pourtant, il revient à l'abbaye. Ses deux petits marchent dans le parc. Catherine tient chaleureusement son bras. De temps à autre, il rompt le silence de la promenade pour évoquer un souvenir d'enfance, un lieu où il s'asseyait, la manière dont le cercle de la Solitude l'intimidait. Il tend le bras plusieurs fois dans des directions différentes, s'agenouille près de son fils aîné pour lui montrer les moniales en robe blanche marcher dans le lointain. Un instant, il manque de tomber mais s'accroche aux petites épaules de l'enfant. Qu'est-ce qu'une vie ? se demande-t-il. Un chapelet de scènes éparses et accidentelles ? Ou un tracé sinueux mais toujours guidé par une volonté unique, infaillible, plus puissante que les changements de décors ? Il ne saurait dire. Toute la certitude dont il est capable, il la met dans l'étreinte qu'il donne à son fils, sa fille, puis les deux ensemble, avant de les prendre par la main pour remonter vers la sortie. Mais ils lâchent sa main, courent devant, infatigables, minuscules entre les troncs immenses. Il a peur de les perdre, se dépêche, croise leurs yeux rieurs et rassurés, les voit qui courent de plus belle. À quels yeux pouvait-il enfant ainsi river les siens, le temps de comprendre qu'il y avait quelqu'un dans le monde que sa disparition plongerait dans le noir ? Personne à l'exception de Hamon peut-être, de temps en temps, lorsqu'il glissait son nom dans ses prières.

Il semblerait qu'on vous voie trop souvent là-bas, ces derniers temps, dit le roi.

J'y vais quelquefois, je rends visite à ma tante.

Je n'aime pas vous y savoir.

N'ayez crainte.

J'ai crainte.

Dans l'intimité du cabinet où il l'a convié, le roi lui explique que les Messieurs de Port-Royal vivent en ce monde comme dans un cachot, en se passant de tout. On ne peut gouverner un royaume sans donner de la valeur aux choses, en laissant dire que l'activité des hommes n'est que vanité. C'est une nuit trop noire qu'ils proposent, une obscurité qui ne peut que désespérer une nation.

De grands esprits se sont pourtant formés dans cette obscurité, dit Jean.

Le roi lui fait signe de se retirer sans répondre à son dernier argument. À force de le côtoyer, Jean commence à percevoir plus nettement entre eux un point aveugle où il reconnaît la stupeur incrédule dans laquelle les laisse leur fascination mutuelle. Pour Jean, c'est un éblouissement, pour le roi, un effroi, qui s'avive quand il doit justifier devant certains conseillers le choix d'un historien certes académicien, grand poète, fervent courtisan, mais tout de même affreusement janséniste. Sans cette noirceur enroulée autour de ses vers, ils n'eussent jamais été si lumineux, répond quelquefois le roi.

Corneille meurt au mois d'octobre 1684. Jean est désigné par le sort comme le prochain directeur de l'Académie. Il n'éprouve bien sûr aucune tristesse mais reçoit la confirmation qu'à l'âge qu'il a, la mort s'invite dans son voisinage. Jamais la vivacité et le nombre de ses enfants n'ont-ils aussi bien suppléé à toutes ces disparitions qui ont commencé de frapper. Lui revient donc au début de janvier de présenter l'oraison funèbre qui accueillera le remplaçant de Corneille. Tandis qu'on parle de son frère, Jean en favorise d'autres, mais c'est peine perdue : Thomas Corneille est élu. Je n'en aurai donc jamais fini avec ce nom, se dit-il. Nicolas l'encourage à écrire de façon tactique et conventionnelle, rien de plus.

Mais Jean s'agite jour et nuit, tantôt repris par le souvenir de la rivalité aigre, tantôt par une amertume sans mots, où il sent vaguement que la mort de Corneille l'atteint plus qu'elle ne le devrait. Car ne doit-il pas faire l'éloge d'une double mort ? Celle d'un homme et d'un art qu'il ne pratique plus, et où il aperçoit ses propres traits ? La seule manière qu'il a d'apaiser cette aigreur, c'est de se projeter à des années devant, quand il sera mort, lui et tous ceux qui l'ont connu, quand il ne restera plus de lui que des pages écrites, perdues, retrouvées, quand le temps aura lissé, effacé tous les noms, excepté quelques-uns. « La postérité fait marcher de pair l'excellent poète et le grand capitaine. » Dans son oraison, il procède à rebours, remonte vers la poésie. « Oui, Monsieur, que l'ignorance rabaisse tant qu'elle voudra l'éloquence et la poésie, et traite les habiles écrivains de gens inutiles dans les états, nous ne craindrons point de le dire à l'avantage des lettres, et de ce corps fameux dont vous faites maintenant partie ; du moment que des esprits sublimes, passant de bien loin les bornes communes, se distinguent, s'immortalisent par des chefs-d'œuvre comme ceux de Monsieur votre frère, quelque étrange inégalité que durant leur vie la fortune mette entre eux et les plus grands héros, après leur mort cette différence cesse. » La voilà donc enfin nommée, cette malédiction, cette poussière abjecte qui s'est chaque fois déposée sur tout ce qu'il a composé. L'inutilité.

Lorsque avec Hamon il regardait les arbres et la terre, tandis que les mains de l'un remuaient, agissaient, les siennes restaient coites et inutiles. Quand il talonne chirurgiens et médecins pendant les campagnes, admire les Condé, les Conti, tous ces guerriers capables de mener des troupes à la conquête, ou l'ingénieur Vauban, qui fait lever de terre un pays nouveau et invincible, n'est-ce pas encore pour compenser l'immatérialité de cette aile qu'il déploie sur le monde ? Et pourtant, sans les ombres qui viennent ourler les choses, sans les serpents qui font siffler la matière, où serait le chant, où serait la splendeur ? Sa vie à lui ici-bas n'est-elle pas de voir et de dire ? Son épouse lui reproche quelquefois de ne pas assez croire en son salut, sinon vous n'écririez pas tant, sinon vous ne vous soucieriez pas tant de... mais Catherine n'achève jamais, plaque ses mains l'une contre l'autre et se met à prier.

Plus d'une fois, Jean a l'impression de disposer au fond de l'oraison funèbre des miroirs vertigineux qui affolent son regard, l'empêchent d'être face à son sujet, de s'en dissocier.

Qui eût pu penser une chose pareille ? confie-t-il à Nicolas. Dire que je me suis battu toute ma vie contre lui et qu'au moment de l'enterrer je ne triomphe même pas. Je l'enterre certes mais je saute avec lui dans la tombe.

Deux jours plus tard, le roi demande à Jean de venir lui lire son discours dans son cabinet. Les jardins, le château, tout paraît enseveli. Ses pieds s'enfoncent dans la neige, il glisse, se rattrape in extremis, grelotte. Il traverse les étendues blanches et mortes de janvier, les couloirs garnis de lustres et d'ordures. Il avance vers le cabinet du roi avec cette puanteur dans le nez. Sans tourner la tête, il entrevoit les reflets incessants de sa silhouette dans les miroirs, entrecoupée, cisaillée par l'arête des murs. Une et multiple, comme une armée, pense-t-il, je suis une armée à moi tout seul. Avant la dernière porte, au moment d'attendre l'ordre ultime, enfin immobile, il se regarde un peu plus longtemps, trouve son visage boudiné sous sa perruque, ridiculement rougi par le froid.

Ah, enfin, je m'ennuyais de vos lectures ! s'exclame le roi quand il entre.

D'autres enfants de Jean naissent encore, les uns après les autres. Catherine veille sur cette manne, enveloppe chaque nouvelle créature avec le même soin que la précédente, temporise les émotions qui parfois submergent Jean, maintient une sorte de température médiane et constante. S'il manifeste une quelconque contrariété liée à sa charge, elle invoque la bonté de

Dieu. S'il se chagrine encore, elle lui fait valoir la chance qu'ils ont d'élever une progéniture en parfaite santé. Tout trouve sur ses lèvres réponse et réconfort. C'est une aubaine, dit-il à Nicolas, d'entendre parler d'un Dieu si généreux, si infailliblement bon, je ne m'en lasse pas.

Pendant les deux années qui suivent, cette bonté s'installe en lui d'une manière plus solide que tous les miels qui s'y sont coulés. C'est un sucre plus tenace. D'ailleurs, le temps d'une prière ou d'une action de grâce, Jean perçoit avec précision que ce contentement ne se situe plus dans son ventre mais plus haut, à l'endroit même de son cœur, croit-il, qui peut désormais se serrer sans se fendre, y compris lorsqu'il apprend la mort de Hamon.

Un garde lui raconte que durant ses dernières heures, il a fixé ses yeux sur un crucifix, en prononçant quelques mots : *Jésus*, *Maria*, *sponsus*, *sponsa*. Quatre mots brefs, une série parfaite, symétrique et close. Puis un cinquième, plus fort, *silence*. Ces derniers temps, Hamon n'était plus seulement le médecin des religieuses, il occupait tous les postes, les confessant même en l'absence de confesseur. Jusqu'à la fin, il aura dormi sur des ais, sans douceur ni confort. Nicolas rend hommage au saint homme tandis que Jean ne compose aucun vers. Il se contente de répéter le carré mélodique proféré par l'agonisant, *Jésus*, *Maria*, *sponsus*, *sponsa*. Et dans une arrière-pensée ou un écho, il lui semble en entendre un autre qui résonne, vient en doubler le tracé, y superposer ses ondulations profanes, *Titus*, *Bérénice*, *invitus*, *invitam*.

Le même garde lui a confié un manuscrit en lui précisant qu'il était secret et passible d'interdiction. Jean met plusieurs jours à pouvoir s'en approcher, puis à en tourner les pages, mais quand il commence, il ne peut plus s'arrêter. C'est un volume consacré à la solitude, plus de trois cents pages où Hamon combat l'amour du monde. Jean s'émerveille d'une telle concentration, lui qui n'a jamais su composer que de longs poèmes et qui, à présent, se disperse au gré de la chronique. Ses yeux détachent certaines phrases de Hamon, comme les pelures d'un fruit. *Je voyais que je me produisais trop… Les superbes qui parlent tombent et se ruinent.* Les phrases regardent Jean depuis la cellule où le vieillard a péri, depuis la salle de soins où il l'a tant de fois recueilli. Depuis la base des trembles, elles l'accusent, non pas avec la violence du blâme mais avec l'évidence de l'exemple. Comment peut-on être si humble ? se demande Jean, le cœur serré. Plus il lit, plus il reprend place auprès de Hamon, se nichant dans l'empreinte. Il réentend sa voix, jusqu'au cliquetis de son tricot. Personne ne le dérange, personne n'ose troubler ce dernier échange. *Ces explications figurées contiennent d'ordinaire une vérité et une image de vérité. Or l'union de la vérité avec son image la rend plus sensible, plus claire, plus pénétrante. Les images, en arrêtant plus longtemps l'esprit sur les mêmes vérités, en augmentent l'effet et l'impression et elles aident à les retenir, servant en quelque sorte de mémoire artificielle.*

Jean s'arrête, emporte le livre jusqu'à sa table, note. Il n'a rien lu d'aussi beau depuis longtemps. Il comprend pourquoi il traque les images, pourquoi il en avait tant besoin pour ses tragédies, pourquoi l'histoire du roi serait encore plus glorieuse si elle parvenait à s'en passer puisque les faits royaux ont assez d'effet par eux-mêmes. La mémoire qu'il leur donnera sera naturelle, rien de plus. Il comprend aussi que seul Port-Royal est capable de donner aux esprits une telle précision, tant de justesse.

Il a promis de rendre le manuscrit, de se déplacer en personne jusqu'à l'abbaye pour le remettre en mains propres. Le roi demande ce jour-là où est passé son historien puisqu'il n'est ni à la cour ni chez lui. On lui répond qu'on ne sait pas, mais le roi, lui, sait, et visualise aussitôt les allées sombres du vallon récalcitrant.

Jean se dirige vers le cimetière. Il déambule parmi les tombes, s'arrête devant chaque pierre. Toutes les épitaphes sont de Hamon. Il s'approche de l'une, de l'autre, ne sait plus où donner de la tête. Elles sifflent autour de lui comme des vents contraires. Mais il se calme, commence à les lire à haute voix. Il goûte la qualité du latin, l'extrême concision des louanges qui pour ainsi dire ne louent pas. Ici, le monde est un livre, pense-t-il, dont jamais aucune ligne ne s'effacera, gravé dans le marbre pour les siècles des siècles. Ce jour-là, en regagnant la sortie, il gravit les cent marches à genoux, comme il a souvent vu faire les pénitentes. Il ne retient plus ses pleurs. Pendant plusieurs jours, ses plaies l'empêchent de marcher.

Le roi a demandé qu'on remplace les pompeuses déclamations qui viennent au bas des immenses peintures de Le Brun dans la Grande Galerie. Il passe commande aux historiographes d'inscriptions simples et sublimes. Nos devises seront aussi modestes que les tableaux sont grands, le rassurent-ils. Au bas des grands portraits, des longs drapés, quelques mots claqueront comme une inscription frappée dans l'or.

Le roi donne ses ordres pour attaquer en même temps quatre places fortes de la Hollande, 1672. Prise de la ville et de la citadelle de Gand en six jours, 1678.

Des faits, des chiffres, des dates, rien d'autre.

Prenez garde, se moque Nicolas, un jour, nous n'oserons plus écrire un seul mot à force de concision.

Alors nous écrirons le silence, dit Jean.

Les querelles reprennent à l'Académie, en dehors, partout. Les parallèles entre Corneille et Jean sortent de terre comme de mauvaises herbes, réaniment le monstre de sa jeunesse, celui qu'il vient d'enterrer. On fait des répartitions, on parle de génie viril et de génie féminin, on lance des paris. Plus que jamais, on veut savoir qui des deux auteurs restera, qui incarnera longtemps le génie français. Malgré sa maladie, Nicolas s'agite comme un diable, reprend des forces sous les yeux de Jean, qui, lui, s'économise, se concentre, réplique à peine quelques mots de temps en temps. Car dès qu'il fixe le cadavre de Corneille, il lui semble aussitôt apercevoir le sien. Pour un peu, on prendra les mesures, on cherchera à savoir qui des deux sera le plus long, le plus lourd, le plus froid.

Il s'enferme dans son cabinet, et procède à la nouvelle édition de ses dix tragédies, auxquelles il ajoute deux discours récents. Il relit calmement, revoit sa ponctuation, fait plus cas de la grammaire que de la déclamation, mais chaque fois qu'il entend au loin la voix de Catherine ou celles de ses enfants, il perd son fil, se trouble. Quand sa femme l'interroge sur les heures qu'il passe ainsi enfermé, ses soucis éventuels, il n'invoque que les pages qu'il doit au roi ou dit, trois fois rien. Mais il n'y a rien de plus faux. Ces heures sont infiltrées de questions qui l'épuisent, le désespèrent. Il prend, par exemple, après avoir longuement hésité, la décision de changer le titre de *Phèdre et Hippolyte*. Désormais ce sera *Phèdre*. Ce jour-là, il s'assoit à la table familiale d'un air différent, les yeux doux, comme soulagé. Catherine s'inquiète, lui trouve l'air exténué. Il la rassure, invoque le bien que procurent les décisions saines et vraies. Elle ne sait pas de quoi il parle, mais elle acquiesce.

Quand l'édition paraît, personne ne s'étonne de son choix. Il attend un commentaire de Maintenon qui ne vient pas. Ne vient que ce tremblement sur sa lèvre supérieure, cette ombre qui glisse au bas de son visage quand elle se met à parler de péché et de salut. Tout est dans ce léger tremblement, se dit Jean, cet élan qu'elle prend pour fendre les eaux du passé. Et il n'oublie jamais que la femme du plus puissant monarque d'Europe reste cette créature coupée en deux, comme lui, qui n'aura de cesse qu'elle n'ait mis du liant dans sa vie, un semblant de continuité entre ses périodes, un courant qui en mitige l'impureté jusqu'à la dissoudre.

Lorsqu'il pénètre pour la première fois dans sa nouvelle maison de jeunes filles, à quelques centaines de mètres de Versailles, Jean vacille et s'entend murmurer que si l'abbaye venait à disparaître, il ne trouverait plus la force de vivre.

Maintenon le mène dans tous les endroits de la maison. Elle lui explique tout ce qu'on y enseigne, toute l'ambition de son projet. Il voit des petites, des jeunes filles, qui sourient, gloussent, s'égayent, le saluent bien bas, et plus il déambule, plus il reconnaît à travers ces bandes de silhouettes frêles les jeunes filles qu'il a tant regardées depuis les cent marches et qui profilent toujours leurs ombres tenaces entre ses cinq filles à lui. À la fin de la visite, pourtant, agacé par tous ces babils provinciaux, il se raidit.

Nous leur apprendrons à parler le français le plus pur, dit Maintenon. Et j'ai besoin du plus grand poète pour ce faire. Je veux qu'elles sachent dire et chanter la parole de Dieu, je veux que vous leur composiez une… un… une espèce de poème.

Mais je suis l'historien du roi à présent.

Vous ne l'êtes que parce que vous êtes poète.

Je ne compose plus de poésie.

On reste poète toute sa vie et au-delà de la mort, vous le savez. Mais attention, je ne veux pas qu'il soit question d'amour pour mes jeunes filles. La parole de Dieu, rien que la parole de Dieu.

Elle lui présente enfin quelques-unes de ses meilleures élèves, dont celles qui ont joué son *Iphigénie* et qui manquent de tomber tant elles le saluent bas alors que ses propres enfants n'en connaissent même pas l'existence.

Sur le chemin du retour, il étouffe. La flatterie et l'honneur n'y suffisent pas. Non seulement il doit revenir à la poésie comme à une assignation, mais en plus il doit s'éloigner du roi. Il lui faudra quitter un temps les dîners de Marly, la table autour de laquelle chaque convive est nommément choisi par le roi, se priver de la conséquence de cet instant miraculeux où le roi a prononcé son nom, où il l'a élu avec les autres élus. Une espèce de poème. Dans ses lettres, Nicolas le met en garde contre un tel flou mais Jean trouve la force de se retrancher derrière l'intuition que, de cette brume, il saura faire émerger un relief neuf, inédit. De toute façon, a-t-il le choix ? Maintenon revient à la charge quelques jours plus tard. N'est-il pas fatigué d'écrire la chronique, cet enchaînement de faits certes glorieux mais qui n'ont pour seul mérite que de s'être produits ? Il se contente de sourire quand il aurait envie de répondre qu'il n'est pas du tout fatigué, non, pas le moins du monde, qu'en plus du prestige qu'elle lui donne, cette chronique lui est une source de repos sans fin. Au bout de neuf ans, il goûte jour après jour le plaisir de s'y nicher avec la même facilité que dans ses affaires familiales et ses placements fonciers.

J'ai remarqué, poursuit-elle, que dans les années que vous avez dû récrire, celles qui précèdent votre arrivée à ce poste, vous ne mentionniez même pas vos œuvres. Tenez, vous écrivez sur 1672 et rien, pas un mot sur votre *Bajazet* ! Comment est-ce possible de s'oublier à ce point ? Au moins, vais-je vous donner l'occasion de vous souvenir de vous-même !

Madame, vous connaissez comme moi les vertus de l'oubli.

Et, de nouveau, il aperçoit sa lèvre supérieure qui tremble.

Jean choisit le sujet d'*Esther* très vite, mais quand il commence à concevoir son plan, il perd le sommeil, reste des heures à fixer l'air moucheté. Un soir, deux soirs, il attend patiemment puis se relève, s'enferme dans son cabinet. Il a besoin des masses d'air silencieuses de la nuit pour jeter ses premiers mots, et entendre leur son. Il remet ses muscles en mouvement, cherche à renouer les fils de ses habitudes. Son impatience monte, s'échauffe, enragée par toutes ces années de jeûne, cet appétit bridé, rangé, enseveli. Quand il sort de son cabinet, il regarde sa famille comme de minuscules monticules au loin et qu'il n'a pas envie de rejoindre. Aux questions de Catherine, il répond même avec une pointe d'agacement.

Il montre chaque scène versifiée à Maintenon. Elle l'exhorte à plus de simplicité. Ses jeunes filles doivent pouvoir comprendre ses vers du premier coup. Sans protester ni oser dire que ses vers ne sont pas faits pour être compris du premier coup, il corrige. C'est une nouvelle jeunesse, avoue-t-il à Nicolas. Les passages chantés l'autorisent à retirer des syllabes. Jamais encore il n'avait osé des vers de sept, cinq, quatre syllabes. Maintenon l'approuve, la parole de Dieu est un signe bref, furtif et délicat qui n'a besoin ni de périodes ni de longs hémistiches. Simple et sublime, s'exalte-t-elle. Sans compter la musique, celle qui donnera à ces voix frêles l'envol des anges. Malgré l'enthousiasme de sa commanditaire, Jean parfois s'effraie. Il préférait tenir entre ses mains la charpente ancienne et lourde de la tragédie, mille fois plus éprouvée que ce corps neuf, hybride, ce monstre dont elle le fait accoucher.

Le soir de la première représentation, posté à l'entrée, le roi vérifie lui-même l'identité des invités, fait barrage avec sa canne. C'en est presque risible, dit Jean à Nicolas, qui lui répond que, les fronts se multipliant partout dans le royaume, la pièce lui tient peut-être lieu de citadelle. Après tout, ajoute-t-il, quel repos ces petites filles qui aiment, pleurent et prient quand on est en guerre partout et que les caisses se vident.

Jean se fige. Il préfère encore qu'on égratigne sa pièce plutôt que le royaume. Avec les années, l'intervalle entre sa personne et celle du roi s'est encore amenuisé et, quand il le voit accueillir le public de sa pièce comme si c'était la sienne, il espère ne pas être le seul jouet de la confusion. Il s'entend murmurer que si le roi venait à disparaître, il ne trouverait plus la force de vivre.

Esther remporte un franc succès. Soir après soir, le roi l'encense, Maintenon se rengorge, trie les courtisans, n'autorise aucune représentation publique. Toutes ont lieu dans l'enceinte de l'école et ne comptent que deux cents personnes quand mille aimeraient y assister. Pour un retour, c'est un retour en fanfare, lui dit-on, pourtant il n'arrive pas à parler de « son » *Esther*. Toutes ses possessions désormais se résument à ses charges, son emploi officiel, ses biens, sa famille. Est-ce pour la même raison que, lorsqu'il relit sa pièce, il la trouve insipide ? Les vers s'énoncent et se comprennent aussitôt, c'est de l'eau claire… Il faut l'entendre en musique, se répète-t-il sans se convaincre.

Un vent de folie s'empare des dortoirs et des bosquets du parc. Les jeunes filles s'emportent, ne parlent plus qu'en vers. Maintenon craint pour leur vertu. Elle refuse que la ferveur se transforme en ardeur. La prochaine fois, ils devront mieux les prémunir contre les dangers de la poésie et de la scène, toutes ces vapeurs qui montent à la tête. Jean fait comme s'il n'avait pas entendu, et, comme elle a vu qu'il avait vu sa lèvre trembler, elle n'ose pas répéter.

Sa tante aussi craint que le couvent ne devienne théâtre, que des délits ne commencent à germer dans l'esprit de toutes ces jeunes filles. Quand elle prononce le mot jeune, son visage se ferme à ce qui n'est plus qu'une chimère pour elle qui ne côtoie plus depuis longtemps que de vieilles religieuses : l'avenir n'est plus devant elle qu'une minuscule tête d'épingle dans une masse obscure, pense Jean. Comme pour lui du reste. Mieux que quiconque, il sait comme l'âme est faite de plis divers, où il est facile d'intercaler des fantaisies de la minceur d'un vélin qui finiront par gonfler et la suffoquer, répond-il. Il ajoute que l'innocence s'oxyde en un rien, qu'il aimerait mettre l'esprit de ses propres filles sous cloche, pour que rien ne l'altère, ne le détourne, que jamais le désir n'y fasse germer le moindre soupçon de malheur ou de passion, qu'elles soient comme des saintes. Agnès coupe court à ce lexique coupable, le félicite d'être l'auteur d'une pièce si propre à montrer la persécution. Et, pour la première fois depuis des années, ses yeux brillent de joie.

S'il regarde ses filles comme des merveilles, il se plaint parfois auprès de son épouse d'en avoir eu trop, puis dévisse honteusement sa plainte quand Catherine lui répond qu'elles sont en parfaite santé. D'autant qu'à la moindre maladie, surtout lorsqu'il est à la cour, la terreur creuse un abîme où il s'enfonce seul, sans autre corde que celle de Dieu. Si la maladie dure ou s'aggrave, ses cauchemars lui dessinent des scènes : on lui arrache un enfant, on démembre le grand corps qu'est devenue sa famille. Alors quand Catherine lui envoie enfin de bonnes nouvelles, il répond par des effusions de tendresse, amples comme des soufflets, des coulées de miel sur ses doigts qui lui font appeler son épouse « mon cœur », baiser ses mains, celles de toute sa portée, remercier Dieu.

Maintenon lui commande un autre poème. Le roi ne veut entendre que ses vers, lui dit-elle. À l'heure où le royaume se rassemble à Saint-Cyr, à l'heure où le roi lui-même ne part plus en campagne, où il missionne ses fils, le vieux capitaine se réfugie auprès du vieux poète. Deux mois à peine après la dernière représentation, Jean se remet à la tâche avec la conviction qu'*Esther* n'aura été qu'un succès accidentel, immérité, tissé de faveurs.

Des faveurs méritées, corrige Nicolas. N'avez-vous pas finalement le sentiment d'avoir donné au royaume une espèce d'idiome ?

C'est son vœu le plus cher, mais ni cette pièce ni les précédentes ne l'ont parfaitement exaucé. Il n'est ni Vauban ni Le Vau, il ne manie pas de matière aussi sûre que la pierre.

Il retrouve la structure des cinq actes, la longueur des alexandrins, relègue ses chœurs en clausule, renoue avec l'idée fixe que le chant ne doit pas altérer la déclamation. Il remet de la crainte et de la pitié, de l'alliance et du massacre. Il n'hésite pas à puiser dans le répertoire, place un rêve au centre de l'action. Ce ne sera pas une simple vapeur mais une trace, un souvenir fougueux, dit-il à Nicolas. Il l'écrit avec des détails simples, des images crues que les yeux du public n'auront qu'à cueillir, quelques vers obscurs dans une masse plus claire, des lambeaux de nuit dans le jour. Il y met des ombres, un amas de chairs vives et blessées, un peu de Didon dans son *Athalie*.

N'oubliez pas que vous écrivez pour des enfants, l'avise Nicolas.

Chaque fois que Maintenon lui demande si sa pièce est prête, il diffère, puis, quand il a enfin terminé, c'est elle qui tarde à la faire jouer. Rien n'étonne Jean au fond, mais il ne peut s'empêcher de constater que l'humiliation aura toujours à voir avec la poésie. On vous prie, on vous supplie puis on vous oublie, dit-il à Nicolas. Il jure qu'on ne l'y reprendra plus et se contente de faire lecture de ses actes dans les salons de Paris.

Maintenon subit toutes sortes de pressions. Ses conseillers lui rappellent l'agitation des pensionnaires, les tonnerres d'applaudissements, les jeunes gens cachés dans les bosquets du parc. Ils blâment les vers de Jean avant même qu'ils soient dits, plaident l'interdiction, mais le roi tranche : *Athalie* sera jouée en privé, sans gradins ni costumes. De ces restrictions, Jean ne s'offusque pas, au contraire.

Dans les appartements de Maintenon, les jeunes filles disent et chantent sans musique, à peine un clavecin. Mais dès le deuxième soir, Jean perçoit les maladresses, les accents de province, la sottise : tout ce que la musique camouflait lui saute aux yeux. Arraché à son costume de génie national, il endosse celui d'un auteur de patronage. Bien sûr, il continue à sourire, à approuver de la tête toutes les admirations que Maintenon déroule dans l'air comme des fils qui la relient à ces jeunes visages dociles, aussi jeunes et dociles que celui de Jean est vieux et servile. Pourquoi ne pas lui dire comme elles jouent mal, comme elles n'entendent rien à sa poésie, comme elles la massacrent ? Pourquoi ne trouve-t-il nulle part en lui le plancher capable de supporter un tel élan ? D'armer sa colère ? Et tandis qu'elle exprime encore ses craintes sur la vertu de ses pensionnaires, le sourire de Jean, loin de plisser, se décroche de son visage, créature autonome, animal étrange suspendu aux particules de l'air. Et qu'il n'essaie pas d'apprivoiser ni, qui plus est, de chasser.

Athalie n'a pas eu lieu, préfère-t-il penser les jours suivants. Le silence qui s'abat sur les rangs de la cour et de l'Académie l'aide à oublier que Maintenon cette fois ne lui passera plus aucune commande : à ses oreilles, ses conseillers ont fait valoir que le janséniste en avait profité pour chiffrer des messages, déplorer la persécution de Port-Royal à travers celle des Juifs. Alors pour éradiquer tout danger, dans les dortoirs des jeunes filles, on brûle les livres, les écrits. On ne concède aux pensionnaires qu'une ferveur volatile et sans œuvres. Jean ressent d'abord pour elles une compassion infinie puis un abattement résigné. Nicolas ne cesse de lui assurer qu'il a livré là sa plus belle tragédie, mais Jean réplique que sa plus belle tragédie, c'était *Phèdre*. *Athalie* n'a pas eu lieu, dit-il, et, sur ordre du roi, il repart en campagne.

Il se jette sur l'observation, la chronique, raconte avec gourmandise les têtes coupées, les divertissements auxquels les maréchaux se livrent sous les tentes. Il compose ses récits où il peut, quand il peut, sur un coin de table, dans le vent et le bruit. L'espace de son cabinet lui semble plus mortifère que jamais sauf quand, dans ses lettres, il conseille à son fils de s'y enfermer pour parfaire ses versions latines. Une autre partie de lui se ranime alors dont il pense que c'est celle du père quand ce serait plutôt celle de l'enfant.

À la fin de l'année, il est nommé gentilhomme ordinaire de la Maison du roi. Il jure ses grands dieux à Nicolas qu'il n'a pas intrigué, mais celui-ci, bien que sourd et diminué, n'en croit pas un mot. Même les plus jaloux des auteurs s'en félicitent, comme si Jean tirait avec lui toute une corporation, le génie de certains hommes – ou leur chance – étant capable de modifier les rangs et les lignées. Le miel recommence à couler dans ses veines. En campagne désormais, il prend place dans d'autres carrosses et n'a plus besoin d'intermédiaires pour s'entretenir avec Vauban. La boue s'est changée en or, dit-il à sa femme. Et pour cause, pendant la campagne du printemps suivant, chaque soir, le roi en personne ordonne qu'on fasse tomber sur les campements des pluies d'or. Dans ses lettres, Nicolas justifie la splendeur royale par la possibilité de son déclin. Il ne sait pas ce dont il parle. Jamais le déclin n'a été plus éloigné de ce que Jean voit tous les jours, cent vingt mille hommes déployés selon quatre lignes que deux heures ne suffisent même pas à parcourir, plus que Rome n'en a jamais massé – et quand il écrit Rome, ce n'est plus le même nom, ce n'est plus de la pompe, nullement de la rhétorique ; ce n'est plus l'éclat des marbres et des temples, ce sont des bataillons de fantassins, des milliers de lances jetées au-delà des frontières. Ce n'est pas de la poésie mais de l'histoire, à laquelle il mesure celle du plus grand roi du monde, qui la surpasse avec lui dedans pour qu'elle sonne dans le silence des siècles. Ce sont des tranchées aussi sinueuses que les rues de Paris, des lustres de cristal qui dansent sous le vent du nord. Si la boue s'est à ce point changée en or, explique-t-il à Nicolas, c'est surtout parce que le péril n'a cessé d'augmenter, pas le déclin. Les campagnes sont rudes et meurtrières. On renvoie les dames à Versailles. On craint pour la personne du roi qui ne ménage pas ses bravades. Nicolas laisse enfin filtrer une pointe d'envie au sujet des pluies diluviennes qui s'abattent sur le pays et embourbent les troupes. À mots couverts, il exalte une inclémence digne de l'épopée.

Après le siège de Namur, tandis qu'on dit le roi exténué, rongé par les épreuves et la maladie, Jean ne s'est jamais senti plus fort. Son titre a encore augmenté ses revenus et, avec eux, toute sa vie. Un second fils lui naît à quatorze ans du premier, qui va exiger une deuxième terre dont il n'a pas les moyens mais qu'il trouvera ; la malédiction des filles a enfin cessé. Il va d'un point à un autre, s'acquitte de toutes ses charges. Il occupe seul sa place auprès du roi et, à la mort de son prédécesseur, il exige que toutes les archives soient placées chez lui en propre. Des hommes vont et viennent pendant des heures sous son nez. Quand ils sont partis, il pavoise devant les piles de documents déposés dans son cabinet comme devant un trésor national.

À Versailles, Jean assiste désormais au lever du roi, à son débotté, avec trente autres gentilshommes arrachés aux milliers que compte la cour. Et parmi cette trentaine, ils ne sont que quatre à passer d'abord les portes : le chirurgien personnel du roi, deux conseillers militaires et lui. Ensuite seulement, la pièce se remplit mais ils se sont avancés les premiers, le chirurgien et lui : comme celui-ci veille sur la santé du roi et palpe son corps, Jean veille sur cet organe central et impalpable, sa louange, et dans sa louange, sur sa langue. Selon les jours, le roi lui pose une question de latin ou de vocabulaire, lui demande une lecture, surtout lorsque, souffrant, il ne quitte pas son lit. Jean aime répondre sans élever la voix, presque en murmurant, et sentir que ses mots tressent, dans l'air confiné, les odeurs de la nuit, un lien ténu mais précieux entre leurs deux visages, avant même que ne commencent à planer les premiers effluves de fleur d'oranger. Et cette promiscuité ne ternit rien, au contraire. L'admiration qu'on a pour les idoles, loin de retomber quand on les voit déglutir ou cracher, ne fait que s'emporter davantage et les élever plus haut, comme si elles relevaient de deux règnes différents, puisaient à deux métaphysiques, celle des hommes et celle des dieux, augmentaient leur mérite par cette ambivalence extraordinaire.

Et quand le roi accorde, comme dans les plus hautes lignées, la survivance de sa charge à son fils aîné, Jean se surprend à rêver d'une chose simple, en dehors de tout protocole, de toute faveur : un tête-à-tête, sans témoins, ni Maintenon ni valet ni personne. Le roi le prierait de s'asseoir. Leurs yeux s'ajusteraient, et tandis que Jean se tortillerait, le roi ne bougerait pas un cil.

Eh bien, monsieur ? lui demanderait-il.

Jean ne trouverait rien à répondre puisqu'il ne voudrait qu'être là, regarder, être regardé, entendre leurs deux souffles se relayer, puiser au même air, lever la poussière et la voir retomber. Contre toute attente, le roi ne s'impatienterait pas. Ils resteraient ainsi l'un en face de l'autre, bien droits, calmes et souriants. Dans son rêve, le roi ne demanderait rien à Jean et patienterait encore. Ou alors il romprait le silence et le prierait de lui réciter quelques vers de *Bérénice*.

Et Jean accepterait d'autant plus que, vingt-cinq ans après, on lui demande encore de renier son héroïne, la plus pécheresse d'entre toutes, lui dit-on. Mais il ne peut pas. Malgré sa foi, malgré tout ce que la réputation est capable d'obtenir de lui, il refuse tout net. Maintenon lui offre une chance d'étouffer le scandale en lui passant commande de cantiques pour ses jeunes filles. Jean y voit une occasion de s'attaquer au dilemme le plus chrétien qui soit, à la racine du mal, sans aucune intrigue cette fois, comme à un os nu, débarrassé de son gras. Il passe des heures à agencer ses strophes, à déplacer un vers par-ci, un vers par-là, intercale onze syllabes au milieu de huit, mais rien ne lui semble plus vain. Il compose désormais comme on tricote, se souvient du vieux Hamon, troque volontiers son ouvrage contre un moment avec son fils ou son notaire. Il regrette la fiction, la pompe et l'apparat, les personnages auxquels il substitue de pauvres allégories dotées de majuscules fantoches. Le théâtre dramatise nos existences comme rien d'autre ne peut le faire, surtout pas la prière, écrit-il à Nicolas.

À la livraison de sa commande, Maintenon est enchantée. Jean se rachète une dévotion sans failles. On lui rapporte que le couple royal se repose souvent le soir au son de ses *Cantiques*, que le roi de plus en plus malade y puise un grand réconfort, ce à quoi Jean ne peut s'empêcher d'opposer immédiatement l'image de la lèvre de son épouse qui, telle une oreille au milieu de son visage, tremblerait sur son vers *Je trouve deux hommes en moi*.

On a rapporté le cœur d'Arnauld à Port-Royal. On l'a embaumé depuis Bruxelles et fait voyager dans un cœur en argent. Le roi lui en voudra s'il y va. Jean sait que derrière les égards et les politesses, le sentiment d'être trahi ou seulement de ne pas être préféré meurtrit la chair la plus épaisse. Il en serait de même pour lui si le roi élisait un autre poète, et, malgré tout, il décide de s'y rendre.

C'est la première fois qu'il remet les pieds dans la petite église. On le regarde, on le dévisage, on le remercie d'être là d'un signe léger, mais Jean n'a d'yeux que pour ce cœur échoué sous les linges. Il devine en transparence les soufflets violacés, la masse luisante et saccadée que lui racontaient autrefois les récits de Hamon. Voir un cœur battre est un pur miracle, disait-il, c'est être au plus près du mouvement que Dieu a insufflé à la matière, sa volonté unique. Jean ne comprenait pas alors comment dans le même temps on pouvait voir un cœur et qu'il battît, et déjà cette antinomie avait suffi à lui rendre le récit miraculeux. Il ne regrette pas d'être là-bas le temps qu'il est là-bas, même lorsqu'il se rend auprès de sa tante, après la cérémonie. Elle lui parle de disparition. Elle prononce le mot sans baisser les yeux. Jean se tient au mur sans pouvoir faire sa réponse habituelle, qu'il glissera un mot au roi. D'elle-même, elle dit qu'il n'était plus temps de glisser quoi que ce soit à qui que ce soit, mais de s'armer contre la perspective de la disparition, détachant chaque syllabe, lentement, comme pour donner le temps aux d'images de marquer les yeux de Jean. Il l'écoute, perçoit soudain sa silhouette malingre se tendre, hoche la tête. Gênée, elle se tait, retrouve un souffle plus calme, demande à Jean des nouvelles de ses sept enfants. Mais au moment de partir, elle évoque Arnauld, sa triste mort, son salut probable malgré cette prédilection qu'il a gardée jusqu'à la fin.

Quelle prédilection ?

Vous savez bien, voyons…

Elle jette un peu de flou entre ses mots pour allonger les derniers instants, que Jean ne la quitte trop vite. Il songe alors qu'il n'est pas seulement deux hommes en lui, mais trois, quatre, comme peut-être il y en eut en Arnauld, le fervent solitaire et l'infatigable traducteur d'Euripide. Chaque être est une foule, se dit-il. Contre quoi cette multiplicité se dresse-t-elle ? Enfin, il questionne l'abbesse sur ce qu'il adviendra du cœur de son maître. Sera-t-il enterré ? Où a-t-on vu ailleurs qu'ici qu'on fouille ainsi les corps, comme on rêverait de le faire dans l'amour ou dans la médecine, comme on n'oserait jamais le faire ? À cette espèce de barbarie pourtant, il est tout aussi attaché qu'au buis et aux trembles du parc. À cette barbarie pourtant, il ne veut plus penser. Il remonte lentement les cent marches, enfonce ses semelles comme son esprit dans la mousse.

Le roi fait tonner son ressentiment. Il lui signifie qu'il ne souhaite plus le convier dans ses appartements. Jean pensait qu'il ne résisterait pas à sa disgrâce, qu'il en mourrait, mais, bien qu'il fasse tourner les questions et les perspectives mille fois par jour, il n'en meurt pas. Les mots de sa tante essaiment, donnent à ce virage les couleurs de l'attachement fidèle, substituent l'enracinement aux aléas de la faveur. S'il pouvait chasser cependant ce nuage bourdonnant, cette ruche charognarde qui démembre un peu plus le corps sans cœur du défunt et en profite pour accabler le vallon. Il n'a jamais vu ça, pareil déchaînement, des torrents de haine. Plusieurs rêves le ramènent au chevet de l'organe comme auprès d'une énigme prête à dégorger, à délivrer son chiffre secret. Mais au réveil, c'est toujours un cœur froid et muet qu'il imagine. Il s'enferme dans son cabinet avec son fils aîné, lui fait des lectures, des démonstrations de traduction, entre dans le détail des textes anciens. Il s'entend lui dire ce qu'on lui disait, le houspille quand il ne s'acharne pas assez. À l'enfant qui s'étonne un jour que ses livres ne soient pas plus nombreux, Jean s'entend répondre, *Non esse emacem, vectigal est*, mon fils. Dans la foulée, il lui explique que c'est une phrase de Cicéron. C'est un grand revenu que de ne point dépenser. Il précise que ça n'a rien à voir avec l'avarice, que la vraie grandeur vient de là, que toute son œuvre s'est érigée sur ce fondement.

Quelle œuvre ? demande l'enfant. Celle dont vous ne nous parlez jamais ?

Jean détourne son visage, déclare que son maître Nicole répétait cette phrase à l'envi. Le front de l'enfant se plisse sur ces mystères.

Vieux et malade, Pierre Nicole vit à Paris. Jean va lui rendre visite une fois, deux fois, puis régulièrement. Ce sont de longs entretiens qui commencent, ponctués de quintes de toux, où ils ne reviennent presque pas sur leurs antagonismes mais évoquent les Petites écoles, les enseignements, les intentions. Jean s'enthousiasme au contact de cet esprit pénétrant, qui jamais ne s'abuse de leurres, de sa main qui soulève les voiles un à un, discerne par transparence, fouille, traque la vérité avec la même vigueur que trente ans plus tôt.

Entre les visites, il le lit avec une passion nouvelle, oubliée. Personne comme lui n'aura décrit la puissance des images, imperceptible, qui s'infiltrent dans l'esprit, l'ensemencent, préparent des années à l'avance *les chutes de l'âme* à son insu. Jean s'arrête sur les chutes de l'âme. La langue de son maître est aussi périodique et précise que dans son souvenir, avec de temps en temps, justement, une image impromptue qui cingle au milieu des raisonnements, qui vient dessiner des dénivelés ou des abcès, modeler des chairs putrides, mine de rien. Et, dans ce contraste, avec émotion, ce n'est pas son maître que Jean reconnaît mais lui-même, autrefois, quand il composait ses tragédies, quand l'alexandrin donnait à sa langue cette allure, cette façon de passer de l'ombre à la lumière en un instant, quand les images se coulaient dans la tirade sans être avalées par elle. À côté de la prose, même la plus élégante comme celle de Mme de La Fayette, ses alexandrins fondront toujours comme des couteaux dans le cœur des hommes. À cause des images. Mes maîtres gardent sur mes pensées le pouvoir des torches, se dit Jean. Et pour la première fois, il tourne la tête vers ce qu'il a composé sans colère ni honte, avec une espèce de tranquillité. S'ensuit alors une discussion où Nicole lui avoue que malgré les oppositions virulentes qu'il a eues à l'égard de ses tragédies, il reste convaincu de leur très haute importance.

J'eusse aimé y assister pour ainsi dire… les yeux grand fermés.

Cette phrase vaut pour Jean toutes les absolutions. C'est une étreinte qu'il emportera dans la tombe, la plus tendre, celle qu'il a toute sa vie attendue.

Sous le feu de leurs conversations, un nouveau projet affleure : raconter le vallon, sa formation, sa vocation. Il le confie au maître, lequel en paraît plus que content jusqu'à ce jour de novembre où la maladie le frappe. Jean panique. Il multiplie les séances, les fait durer, mange sur le temps qui devrait être celui du roi, de sa famille, de tout le reste. Il dépouille sa plume de la louange et commence sa nouvelle chronique. Il jongle avec les faits et les calendriers, remonte loin, date, raconte par le menu les décennies qu'il n'a pas vues. Quelques jours plus tard, malgré les médecins et les remèdes, Nicole est à l'agonie. Jean se sent coupable de l'avoir épuisé. La nuit de sa mort, il pleure comme un enfant. Quand survient celle de La Fontaine, il ne verse pas de larmes mais il voit la nuit de l'enfer rougeoyer et dedans qui rôde, le vieux loup de cabaret dissimulant son cilice. Puis, à deux jours de là, c'est au tour de Lancelot d'être emporté. Son monde se décime en une année. À cinquante-six ans, il ne lui reste plus aucun de ses maîtres. Quand les salves du chagrin cisaillent son corps en hoquets, le hachent en profondeur, son esprit se cabre, cherche à se consoler. Il trouve dans l'écriture des sentences dont on frappe les médailles royales, le plaisir du jet et du jaillissement qui lui rappelle l'alexandrin, sa jeunesse. C'est un remède par le rythme et la physiologie, confie-t-il à Nicolas, la prose ne me console jamais comme la poésie. L'admiration de ses pairs agit sur lui comme un rayon de soleil sur le métal. Il n'en a toujours pas fini avec l'amour qu'il a de lui-même et qui l'aide à endurer toutes les peines, y compris celle de comparaître à son tour devant Dieu.

Quand il rentre chez lui, il se consacre à son livre secret, retrouve les jeunes filles de Port-Royal. Plus il écrit, plus il avance dans leur cercle, entre leurs conversations qui bruissent. Il détaille leurs tempéraments, leurs afflictions, leurs requêtes. Il soigne les portraits, se pousse avec un certain délice aux frontières de la chronique et du roman. Dans ce réquisitoire tempéré se profile la figure du roi, de ce pouvoir qui n'a cessé d'appuyer pour que le vallon s'enfonce sous la terre. Il ne raconte ni ses maîtres ni ses apprentissages, seulement le malheur, la condamnation, la misère des religieuses, et renoue avec la détresse des femmes. C'est pour Agnès qu'il écrit, pour toutes les assurances qu'il ne peut plus lui donner, contre son impuissance, contre le roi. C'est comme d'écrire l'histoire du blanc d'un côté, et celle du noir de l'autre, se dit-il. Il adule le roi autant qu'il le trahit. Alors, sur son siège, il recule et regarde les deux ouvrages qui se font face comme deux fauves qu'il tient en respect.

Et, comme sensible à ce chant qui monte dans le secret de son cabinet, sa fille préférée lui demande un matin d'entrer à l'abbaye. Elle y fait un premier séjour puis un deuxième, plus long, annonce que c'est là qu'elle veut prendre ses vœux. Jean s'en réjouit. Pendant des mois, il intrigue pour rétablir le noviciat, espère revivifier l'abbaye grâce à elle. Désormais, quand il s'y rend, sous ses yeux se rejoignent les deux extrémités de sa vie, son enfance et son enfant. Dans la pénombre du parloir, le visage de sa fille est si clair, son regard si fébrile, et celui de sa tante, si sombre mais si serein. Entre les deux, il voit le trajet d'une planète en révolution ou le mûrissement d'un fruit que rien d'autre que l'amour de Dieu ne viendra mordre, le seul amour qui dure et ne blesse pas. Il veut cet amour pour sa fille, et pour toutes ses sœurs, l'inverse de celui qu'il a donné en pâture à ses héroïnes et qu'elles ont déchiqueté jusqu'à l'os.

À d'autres moments pourtant, il a peur. Il cherche à dissuader la petite, mais sa femme le convainc du contraire, trop heureuse de voir que sa dévotion est une affaire de sang qui coule dans le grand corps unique qu'elle forme avec ses filles. Alors il invoque le roi qui ne supportera guère à ses côtés un homme dont l'enfant serait *là-bas*, comme il dit de plus en plus souvent lors des dîners de Marly ; il détourne alors légèrement la tête, avec un mépris proche du dégoût. Il aime sentir le raidissement de Jean, lui faire comprendre que sa présence à sa table est à ce prix. Mais les effusions de Catherine se déversent si puissamment que Jean se laisse même rattraper par l'espoir que ses descendants œuvreront pour son salut mieux que lui-même. À ses fils de perpétuer son nom ; à ses filles, de laver, purifier le sang de leur père, n'être que cet écoulement intact. Il se souvient de ce que lui disait Hamon dans le secret de l'infirmerie, elles sont seules à saigner comme le Christ.

Ses multiples tractations ne le mènent nulle part. Il annonce à sa fille qu'elle doit quitter le vallon. Dans ce départ forcé, il y a de la tristesse et du soulagement, mais l'enfant ne renonce pas à Dieu, et Jean la voit s'amenuiser dans toujours plus de carêmes et de pénitences. Ses lèvres gercées par la soif se crevassent, des bleus piqués de noir envahissent sa peau tels de petits animaux. Il ne peut nier que les épreuves auxquelles elle se soumet provoquent en lui de la fierté, lui qui n'a jamais souffert que de quelques cicatrices aux genoux. Mais la jeune fille tombe gravement malade. Sans hésiter, il lui raconte l'histoire de Jacqueline comme le petit marquis la lui avait autrefois racontée et, à la fin du récit, reconnaît dans les yeux affolés de son enfant sa propre colère sous la lune. Elle accepte de se marier sans amertume. Comme lui, elle vacille, tantôt d'ici, tantôt de là-bas.

Vous devriez la faire disparaître, chuchote le roi à son oreille. Nous l'avons tant aimée ensemble, mais aujourd'hui, si proches de l'enfer que nous sommes tous les deux, ne devrions-nous pas y renoncer définitivement? Et la voix du roi reste en suspens. Au moment de noter ses dernières corrections, son éditeur lui demande s'il est certain de vouloir faire migrer *Bérénice* dans le premier volume de ses œuvres, s'il ne préfère pas bel et bien la supprimer de cette nouvelle édition… La voix de Jean tonne et menace de changer de maison. S'il lui fallait une preuve de plus, il la tient : sa vie a résolument besoin de deux volumes séparés pour se dire. Et, parfois, en fermant les yeux, il imagine sa reine de Palestine qui trottine dans la nuit d'un volume à l'autre, qui le supplie de ne pas la lâcher. Et, au-dessus du vide, tandis que sa main s'agrippe encore à la sienne, celle du roi lâche celle de Jean. Plus jamais il ne verra le roi, plus jamais il ne l'approchera, plus jamais il ne humera l'effluve de la fleur d'oranger, ne croisera le regard déférent des valets.

Un matin, une violente douleur le transperce au côté droit. Il n'en parle pas à son épouse mais se confie à Nicolas. Celui-ci lui répond qu'il pleure chaque fois qu'il ouvre ses lettres. Il ne pense plus dès lors qu'à sa famille et à son salut, et, dans ce salut, à l'un des fauves tapis sur sa table, son livre sur le vallon. Dès qu'il le peut, il écrit, avance, court contre le temps mais se garde bien d'éventer son secret, même auprès d'Agnès, de donner la moindre chance au roi de s'en saisir, d'autant que la rumeur de sa disgrâce enfle à la vitesse de sa propre tumeur. Il se met même à rêver d'un bosquet où il doit se cacher pour que le roi ne le voie pas, qu'il ne gêne pas sa promenade, s'efface, disparaisse. Le bosquet prend feu, le bois craque, les feuilles se tordent dans les flammes comme des âmes damnées. Chaque mince filet de fumée noire est un fil qui le relie à l'enfer.

Le 10 octobre 1698, il rédige son testament. Il reste de longues heures enfermé dans son cabinet alors que ses douleurs augmentent. Il va vite concernant la transmission de ses biens, ne s'interroge pas, mais il hésite longtemps à écrire qu'il veut être enterré là-bas, aux côtés de Hamon. De l'avoir écrit le réconforte aussitôt, l'ancien bourrelet de terre l'enveloppe d'un velours qui amortit le mal. Il trouve même suffisamment de ressort pour donner à son médecin le livre noir qu'il n'a pas eu le temps d'achever et lui enjoindre de le faire vivre en secret. En avril de l'année suivante, on exécute ses volontés.

Dans le cimetière de Port-Royal, deux petites tombes restent sans épitaphe, têtes nues dans le vent d'avril.

Titus est mort.

C'est écrit dans le journal. Elle n'a plus reçu aucun message et l'a appris comme elle le devait, comme elle le voulait, car Bérénice a pris l'habitude d'éplucher les nécrologies dans l'espoir que cette nouvelle un jour s'affiche noir sur blanc. Il lui fallait bien ça. Une nouvelle ordinaire, comme un déménagement ou même une maladie, n'aurait pas suffi. Il lui fallait des faits à la taille du trou qu'il avait creusé en partant, et qui, de plus, ne lui seraient pas annoncés directement, sur lesquels elle tomberait par hasard parce qu'elle ne lit pas le journal tous les jours, parce qu'on peut toujours passer à côté d'un nom dans une colonne. À quelques kilomètres d'elle, il devait arriver une catastrophe à Titus qui ne lui revienne que dans un vent fortuit, seulement dans un vent que les mouvements aléatoires de son visage et de son attention auraient pu lui faire manquer, la possibilité de ne pas avoir senti le vent de la catastrophe amplifiant sa stupeur au centuple. Alors malgré l'amoindrissement du hasard, malgré tout ce qu'elle sait de l'agonie de Titus, voilà que ce blizzard souffle enfin.

Titus est mort.

Ses yeux arpentent en tous sens le rectangle imparti à la nouvelle. Roma est en tête de cortège, adossée à sa virgule, « son épouse ». Puis viennent les enfants. Elle photographie la page avec son téléphone, l'envoie aussitôt à une amie. C'est bien son nom, c'est le nom de Titus, n'est-ce pas ? demande-t-elle. L'amie ne comprend pas sa surprise, lui répond, mais tu t'y attendais, non ? Oui, oui, bien sûr. Cyniquement, elle aurait presque envie d'ajouter qu'il n'y a pas de mort, rien que des preuves de mort.

Titus n'aura jamais vécu que deux ans sans Bérénice, comme dans l'histoire romaine, l'empereur Titus emporté par une malaria, puni par les dieux. Elle exulte. Comme devant le dernier message de Roma. Si vous ne venez pas, il va continuer à souffrir atrocement, les médecins disent qu'il s'empêche de mourir, qu'il se retient. Je leur ai parlé de vous, vous imaginez, même les médecins vous connaissent, ils disent que c'est sûrement lié, que si vous étiez restée la dernière fois, il serait déjà parti. Vous auriez dû rester, enfin, je ne sais pas… On a mesuré ses douleurs, sur une échelle de 1 à 10, elles atteignent 9,5, parfois 9,7. On ne peut infliger pareil martyre à personne, même à son pire ennemi. Si, répond Bérénice sans attendre et en ajoutant, je prie pour que le degré de ses souffrances grimpe encore, qu'elles atteignent 9,9, voire 10, pour tomber dans cet inconnu où on ne sait pas ce que donne le corps, ces fièvres qui, au-delà de 41°, l'emportent comme un fleuve trouble et convulsif. Que ce soit les souffrances de Titus qui obligent même à inventer une nouvelle gradation. Elle n'aurait jamais imaginé tant de cruauté en elle, mais le malheur de Titus et de Roma, étalé là devant elle, lui procure un bien-être inespéré.

Alors, à quelques mètres de sa tombe, droite et figée, elle exulte encore. Les regards se croisent, le sien, celui de Roma, les yeux des enfants sur elle puis sur leur mère, ceux de l'amie qui l'avait conduite en haut de l'escalier, et dans cet écheveau, Bérénice joue, comme dans un mikado, à extraire son regard sans faire bouger les autres. Puis quand elle en a assez de se mélanger, elle s'isole, fixe son attention sur la couronne de fleurs qui se cache au milieu des autres et sur laquelle elle a fait porter cette citation de Racine que personne ici ne reconnaîtra : « Pour la dernière fois, adieu ».

Après l'enterrement, Bérénice rentre chez elle dans la lumière du soleil couchant. Elle baisse la fenêtre de sa voiture, elle prend une bouffée d'air et de soleil, comme Titus a si souvent dû en prendre quand il partait le matin sous les augures d'un jour clair et nouveau tandis qu'elle ne pouvait quitter son lit, coulée dans le béton de son chagrin. À lui désormais d'être prisonnier d'un linceul de bois et de terre. Le soleil joue dans ses cheveux, sur sa peau. La vie semble ainsi faite que je puisse souffrir que tant de mers me séparent de vous, sans que de tout le jour je puisse voir Titus, dit-elle en ouvrant sa porte, à la fois contente et désolée qu'on puisse absolument tout souffrir. Puis elle décide de ranger tous ses livres sur Racine. Elle les serre les uns contre les autres pour qu'ils tiennent tous à l'intérieur d'un seul rectangle de sa bibliothèque, veille à ce que les dos en soient toujours lisibles, qu'ainsi s'affichent et se multiplient le nom de Racine ou les restes du corps de Titus rassemblés dans son salon, à n'en plus savoir qui gît là. Ce sera son rectangle de tragédie, le pré carré de son amour, qui scintillera parfois, parfois disparaîtra sous les jours, les années, mais vers lequel il lui suffira de tourner la tête pour aussitôt en faire phosphorer les bords, se dire que c'est là, que oui, c'est arrivé. Quoi, qu'est-ce qui est arrivé ? lui demande-t-on. Que Titus n'a jamais aimé Bérénice ou qu'il l'a aimée, que vouloir comprendre ce qu'on appelle l'amour, c'est vouloir attraper le vent. Au jeu de la marguerite, on pourrait arracher n'importe lequel des pétales, à la folie, passionnément, pas du tout. Te voilà bien avancée…

Dix ans après la mort de Racine, le roi décide de supprimer l'abbaye. Il fait disperser les religieuses, puis, de peur que le vallon récalcitrant ne devienne lieu de pèlerinage, il fait déterrer les trois mille corps exhumés dans le cimetière. En 1713, des explosions à la poudre achèvent d'en raser les murs.

Chacune des trois séquences aurait pu faire l'objet d'un tableau terrifiant dans une tragédie de Racine. Il y aurait été question de pluies diluviennes, des centaines de soldats postés sur les flancs, de quelques dizaines de femmes hagardes et sans larmes emmenées dans les carrosses. Il y aurait été question de soudards ivres préférant hacher les cadavres avant de les jeter dans les charrettes, de chiens rongeant les chairs pourries. Il y aurait été question des détonations de la poudre, ultime rafale de cris tendus vers le ciel avant que le silence ne retombe.

On dit qu'il faut un an pour se remettre d'un chagrin d'amour. On dit aussi des tas d'autres choses dont la banalité finit par émousser la vérité.